Forza! uno

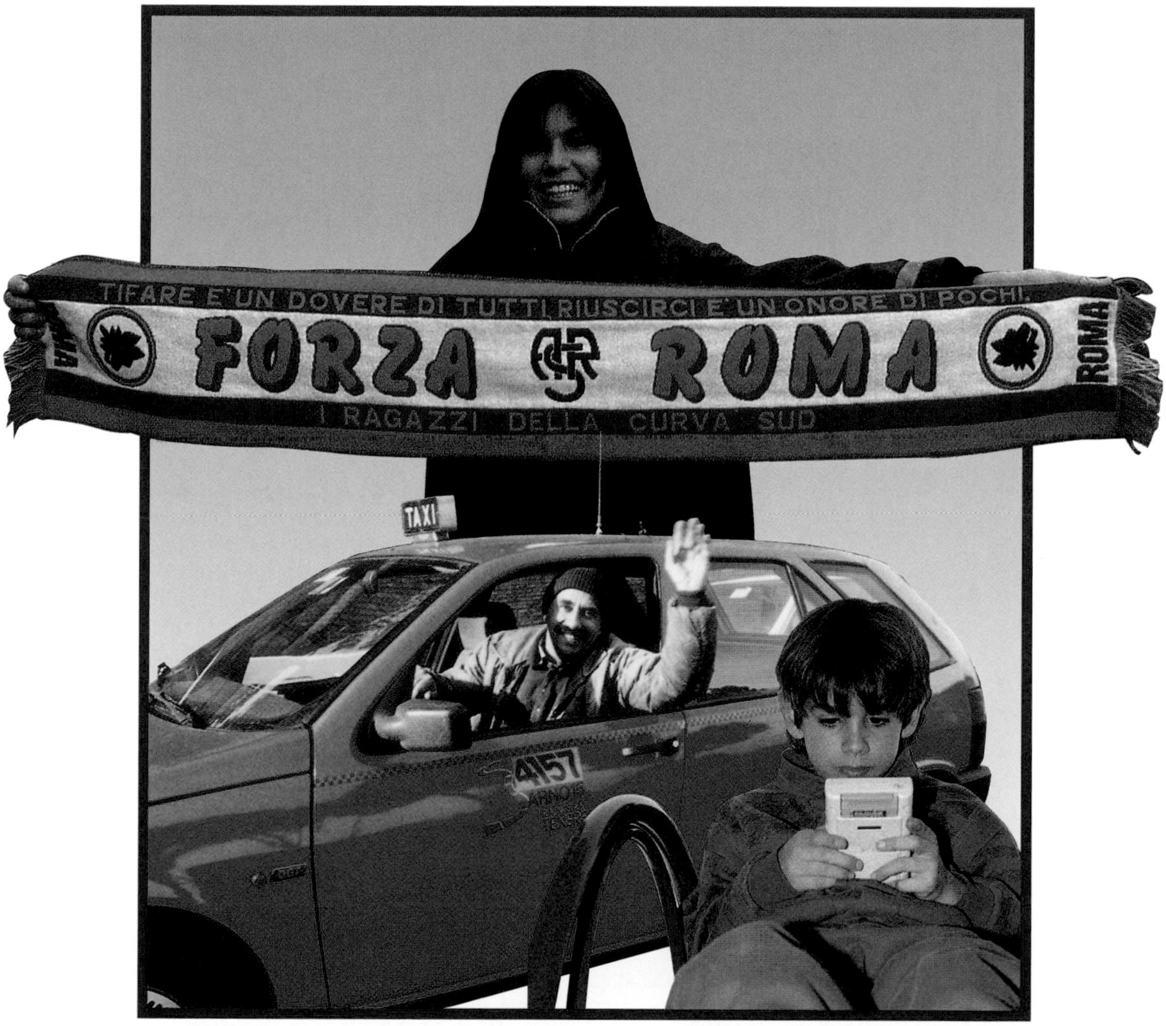

Michael Sedunary

Illustrated by Con Aslanis

EMCParadigm

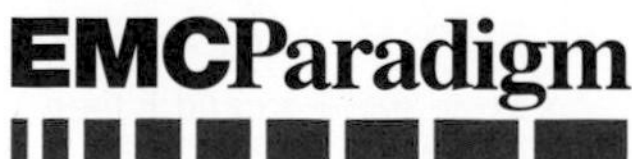

Hanno collaborato

Language consultants

Roberta Cedri, Presenter, Rete Italia, Melbourne

Lidia Maslin, Star of the Sea, Melbourne

Rosa Parella, All Hallows School, Brisbane

Anna Petrozzino, Strathfield Girls High School, Sydney

Astrid Pigo, Project Officer for Italian PALS/SALS, Department of Education, Melbourne

Enza Tudini, Senior Italian Lecturer, University of South Australia, Adelaide

Photography

pp 118–119 (Paris, London) – Patricia Tsiatsias; (Athens) – Hilary Royston

All other photographs (unless credited below) by Michael Sedunary

The publishers wish to thank the following companies and institutions who kindly gave their permission to reproduce copyright material in this book:

p 86 (Roma soccer team) – Claudio Crescenzi, Dott. Marco Seghi and the Roma soccer team

p 94–95 (FIFA soccer) – Electronic Arts; (Super Nintendo Entertainment System and Donkey Kong Country) – Screen shot and box front from FIFA 96 Soccer for the Super Nintendo Entertainment System® courtesy of Electronic Arts®. Electronic Arts and the Electronic Arts logo are registered trademarks of Electronic Arts. Official FIFA Licensed Product. Nintendo, Super Nintendo Entertainment System and the official seals are registered trademarks of Nintendo of America Inc. ©1991 Nintendo of America Inc.; (Axelay) – Komani; (I Puffi) – ©PEYO 1996. Licensed through I.M.P.S. (Brussels); (Bart's Nightmare) – ©Twentieth Century Fox Film Corporation. All Rights Reserved.

pp 118–119 (Vienna) – Austrian National Tourist Office, Sydney; (Berlin) – Landesbildstelle, Berlin

p 148 – Ferrero S.p.A. Ferrero Ltd

p 149 – Kellogg (Aust) Pty Ltd

Despite every effort, the publishers were not always successful in tracing all copyright owners. Should this come to the attention of the copyright owners concerned, the publishers request that they contact them so that proper acknowledgement can be made in any reprint of this book.

Ringraziamo inoltre:

In Rome

Maura and Francesco Calefati

Antonio and Lucio Pettine

Maria-Chiara Gallicani and Kurt Steiner

I professori e gli studenti della Scuola Guido Alessi e della Scuola Svizzera di Roma

Peter Sedunary for assistance with the illustration brief

Leo and Eileen Sedunary for unfailing support

Edited by Hilary Royston

Designed by Robert Bertagni

Cover design by Robert Bertagni

Photography by Michael Sedunary

Production by Cindy Smith

Proofreader: Ian Sibley

Rome map: Guy Holt

First published by CIS•Heinemann

a division of Reed International Books Australia Pty Ltd

ISBN 0-8219-2225-4

Published by EMC/Paradigm Publishing

875 Montreal Way

St. Paul, Minnesota 55102

800-328-1452

www.emcp.com

E-mail: educate@emcp.com

Printed in the United States by RR Donnelley

7 8 9 10 XXX 06

Indice e contenuto

Indice e contenuto

Prefazione

please read me

Ciao! Questo è il tuo nuovo libro d'italiano. Si chiama *Forza! uno* e...Wait a minute! Perhaps you don't understand this yet. Oh well, it certainly won't be long before you do. After a couple of chapters of ***Forza!*** you will be saying and writing this sort of Italian yourself.

Forza! means things like 'come on!', 'go on!', 'get on with it!' and 'have a go!' – all of which is great advice, because it's definitely the best way to learn a new language. When everything seems new and strange, **forza!** – enjoy the challenge of listening and speaking, reading and writing and just watch your Italian improve. You don't have to master every single thing before you can move on; something you find hard in **capitolo 3**, for example, will be revised lots of times so that by **capitolo 6** it will seem pretty easy.

This *Textbook* has all the stories and the photographs to show you what life is like in Italy and to get you talking about your own life in Italian. You don't write in this book: you do all your written work in your *Workbook*. The *Workbook* will give you the time to work quietly away at all the language you have been speaking in class.

So, you have the ***Forza! uno*** *Textbook* and *Workbook*, while your teacher has the *Textbook*, a set of *Cassettes* or *CDs* and a *Teacher's Manual*. The *Cassettes* and *CDs* have the voices of the Italian people in the book, telling their stories and acting out the different situations they get into. The *Cassettes* and *CDs* also have lots of extra material to help you get used to listening to and understanding Italian. There are special exercises on this extra material in your *Workbook* under the heading **Presta orecchio!** ('listen up!').

Your teacher will rely on the *Teacher's Manual* to help work out the order in which to do the different activities in the textbook. You will soon see that ***Forza!*** is not the sort of book you just go through page by page. You'll have to get used to going backwards and forwards to the different sections of a chapter so that you get a good balance of practice for your listening, speaking, reading and writing skills.

Fotoromanzi e fumetti

Fotoromanzi are photo-stories and each **capitolo** of the ***Forza! uno*** *Textbook* has at least one, sometimes two of them. These stories present you with different aspects of life in Italy. Most of them are set in Rome, and most of them (from **capitolo 3** onwards) feature the Ferraro family going about their daily lives.

The **fotoromanzi** also give you lots of new words and expressions and new ways of saying and writing things in Italian. You're not expected to take everything in at once, of course. You'll have to keep coming back to the stories, perhaps to read and listen to a bit at a time and to check on how the characters said this or that.

We weren't always able to photograph the characters; sometimes it made more sense to present their antics in cartoon stories, called **fumetti** in Italian. Treat the **fumetti** in much the same way as the **fotoromanzi**. Expect to see some familiar language used in some new, sometimes strange situations. Expect the challenge of some new words and expressions as well.

After the **fotoromanzi** and **fumetti** there are some **domande**. In class, your teacher will ask you to give simple, natural answers to these questions. For example in **capitolo 1**, if you are asked **Quanti anni ha Scarno?**, you could simply answer **Cento**. In your *Workbook* you would practice writing the answer in a complete sentence: **Scarno ha cento anni**.

Impariamo le parole!

Under this heading you will find the new words and expressions in each **capitolo**. **Impariamo!** means 'let's learn!', and that's exactly what you have to do. You will become familiar with new vocabulary by hearing, reading, speaking and writing it, but you will need to make the effort to learn it by heart as well. Your teacher will give you some hints on how to do this and will present you bits of the new vocabulary to learn at one time.

You will forget some of the words that you have learned – everybody does. But don't worry: vocabulary is recycled as the chapters go on and you can always check words you've forgotten in the **vocabolario** at the back of the book.

In poche parole

The hardest part of learning a new language, the part that needs the most practice, is speaking. Under the **In poche parole** heading you will find lots of different things to talk about, with plenty of opportunities for you to ask some simple questions or make simple comments about what you see on the page. Sometimes your teacher will have you speaking with the class as a whole, at other times with a smaller group, at other times with just one of your classmates.

Here is an example of how the **In poche parole** exercises work. On page 6 there are six people to talk about, numbered 1 to 6. There are also three very short conversations – A, B, and C – that you can have about them. Each conversation can be varied by changing whatever is in **bold** print. So, conversation A, for example, doesn't have to be about **Alessia** (number 1), it could easily be about **Roberto** (number 4):

Quest**o** è **Roberto**.
Ciao, **Roberto**.

By varying the items in **bold** print, you can make every conversation apply to every picture. So there is a lot more to say than you might think when you first look at the page! And when you have finished with the page, apply the conversations to your own life. Look around the classroom: Quest**o** è **Wayne**. Ciao, **Wayne**! E quest**a** è **Sue**...

A tu per tu

Your teacher will ask you to do these exercises with one of your classmates. You have to make up a sensible conversation together by choosing something appropriate to say whenever a choice is offered. It is important for you to listen to what your partner chooses so that your reply makes sense. It's no good if the other person tells you 'Mi chiamo **Gino**' and you ask 'Quanti anni hai, **Alessandro**?' So, listen to each other and build up your dialogue together.

A lingua sciolta!

This is the most important speaking activity in each **capitolo**. This your opportunity to move around and actually use your Italian to do something practical. You may have to introduce yourself or someone else, talk to the class about your family or your football team, or survey your classmates about what they do and what they think.

Attentive listening is an important part of **A lingua sciolta!** too. When your classmates are speaking you will need to follow carefully so that you can ask them questions. And if you are participating in a survey you will need to listen carefully to both questions and answers.

Whatever **A lingua sciolta!** activity you are involved in, you will enjoy speaking Italian to tell people about your life, your interests and your opinions and to find what other people are thinking and doing.

Studiamo la lingua!

After you have been reading stories in Italian, answering questions in Italian, talking to your classmates in Italian and generally getting involved in the activities of a particular **capitolo**, you will start to understand how the Italian language works.

The **Studiamo la lingua!** section will help you organize your understanding into some sort of system and make it easier to learn patterns you can use no matter what topic you are doing. For example, once you understand how Italians form plurals you will be comfortable with this whether you are talking about pets, pasta or pastimes.

Note that **studiamo la lingua!** means 'let's study the language!' You will have to work at it and, in some cases, wait for your understanding to come gradually. Remember that you don't have to grasp everything perfectly before you can move on. Most language points are reviewed regularly in the program so that eventually you will understand.

But now it's time to get started. Go on! Have a go! **Forza!**

prima parte

Questa è la mia classe

Capitolo 1

Questa è la mia classe

Abito a Roma.

Questa è la mia scuola.

Questa è la mia classe, la seconda media.

Questa è Maria-Chiara. Maria-Chiara ha undici anni.

E questa è la mia amica Laura. Laura ha tredici anni.

Questo è Roberto.

Anche Roberto abita a Roma.

Capitolo 1

Questa è la mia classe

...e questo è Dario. Dario è in ritardo.

Ciao, Dario.

Ciao, Claudio. Andiamo

12

Impariamo le parole!

ciao!	hi!
mi chiamo	my name is
ho dodici anni	I'm twelve
abito a Roma	I live in Rome
questa è	this is
la mia amica	my friend (*female*)
ha undici anni	he/she is eleven
la mia scuola	my school
la mia classe	my class
la seconda media	about Year 7/8
è	he/she/it is
questo è	this is
il mio amico	my friend (*male*)
ha cento anni	he's a hundred

anche	also
abita a Roma	he/she lives in Rome
come stai?	how are you?
bene, grazie	well, thanks
e tu?	and you?
non c'è male	not bad
andiamo!	let's go!
avanti!	come in!
in ritardo	late
permesso?	may I come in?
signora	Mrs., Ms., Miss

Studiamo la lingua!

1 Contiamo!

1	**uno**	11	**undici**
2	**due**	12	**dodici**
3	**tre**	13	**tredici**
4	**quattro**	14	**quattordici**
5	**cinque**	15	**quindici**
6	**sei**	16	**sedici**
7	**sette**	17	**diciassette**
8	**otto**	18	**diciotto**
9	**nove**	19	**diciannove**
10	**dieci**	20	**venti**
100	**cento**		

In poche parole 1

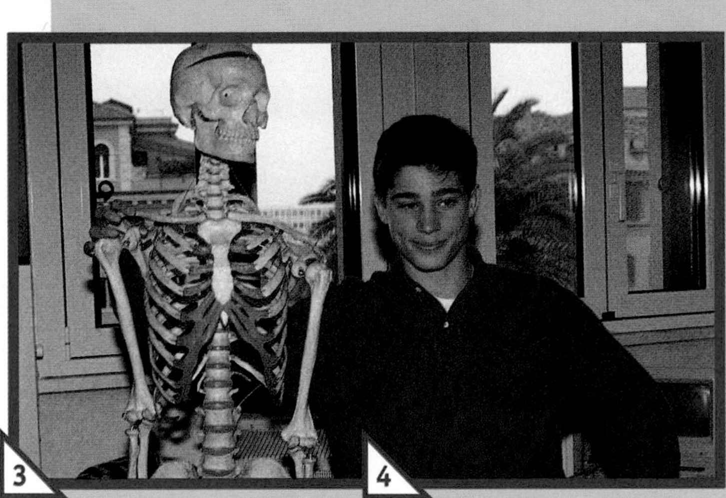

A 1 Questa è **Alessia**.
Ciao, **Alessia.**

B 5 Chi è questo?
Questo è **Claudio.**

C 3 Come si chiama?
Si chiama **Scarno**.

In poche parole 2

Milano

1

Renzo, 19 anni

Napoli

2

Ambra, 4 anni

Firenze

3

Pinetta, 16 anni

Milano
Firenze
Roma
Napoli
Palermo

Roma

5

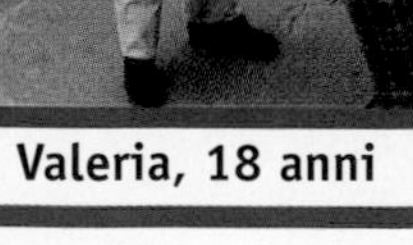

Valeria, 18 anni

Palermo

4

Micio, 10 anni

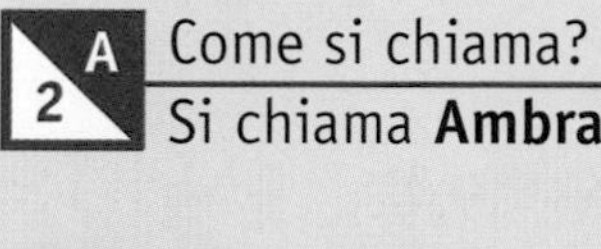

2 A Come si chiama?
Si chiama **Ambra.**

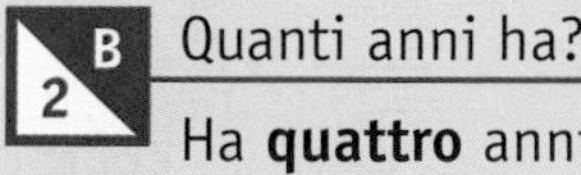

2 B Quanti anni ha?
Ha **quattro** anni.

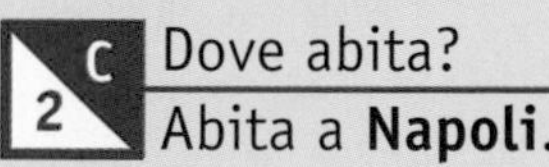

2 C Dove abita?
Abita a **Napoli.**

Che ore sono?

1

2

Sono le due.

3

4

5

Che ore sono?

6

7

8

9

10

È l'una.

Capitolo 1

seconda parte

Scarno fa la seconda media

Capitolo 1

Silenzio! E tu, come ti chiami?
Mi chiamo Claudio.
Va bene, sedetevi, ragazzi!
5

Come ti chiami?
Mi chiamo Alessia, signora.
6
Quanti anni hai, Alessia?
Dodici, signora.
7

E chi è questa ragazza?
Questa è la mia amica, Maria-Chiara.
Buongiorno, Maria-Chiara.
Buongiorno, signora.
8

Capitolo 1

Buongiorno, signora.
Aah, buongiorno! Scusa, come ti chiami?
9

Mi chiamo Scarno, signora.
E quanti anni hai, Scarno?
10

Ho cento anni, signora.
Cento anni?! Ma questa è la seconda media!
11

E dove abiti, Scarno?
Abito qui a Roma, signora.
12

Sì, sì, a Roma, ma dove a Roma?
DIN DIN DIN DIN
Abito qui in questa scuola. Questa è la mia scuola. Questa è la mia classe.
13

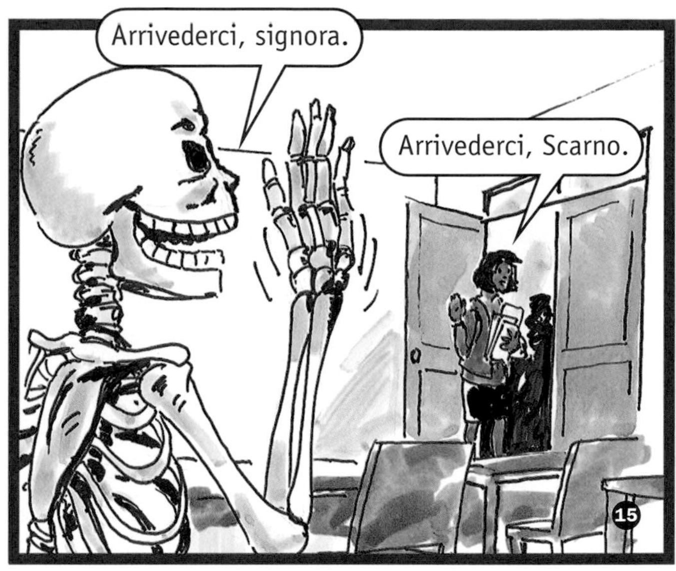

Capitolo 1

Impariamo le parole!

arrivederci	goodbye, see you later	**qui**	here
buonasera	good evening	**sì**	yes
buongiorno	hello, good morning	**ragazza**	girl
ciao	hi, bye	**ragazzi**	boys, children
		sempre	always
forza!	come on! go on!	**uffa!**	good grief!
guarda!	look!		
scusa!	excuse me!	**come ti chiami?**	what's your name?
sedetevi!	sit down!	**dove abiti?**	where do you live?
silenzio!	silence! be quiet!	**quanti anni hai?**	how old are you?
		mi dispiace	I'm sorry
chi?	who?	**va bene**	all right, O.K.

A tu per tu

Ciao. Buongiorno. Buonasera.	Come stai?

Bene, grazie. Non c'è male.	Scusa, come ti chiami?

Mi chiamo	Gino. Alessandro. Gina. Alessandra.	E tu, come ti chiami?

Mi chiamo	Paola. Maria. Paolo. Mario.	Quanti anni hai,	Gino? Alessandro? Gina? Alessandra?

Ho	12 14 16	anni. E tu?

Ho	13 15 17	anni. Abiti qui a Roma?

No, abito a	Milano. Firenze. Napoli.

A lingua sciolta!

1 Buongiorno!

Introduce yourself, say how old you are and where you live, then introduce a classmate.

2 Dove abiti?

Interview a classmate and find out their name, how old they are and where they live. Then pass this information on to the rest of the class.

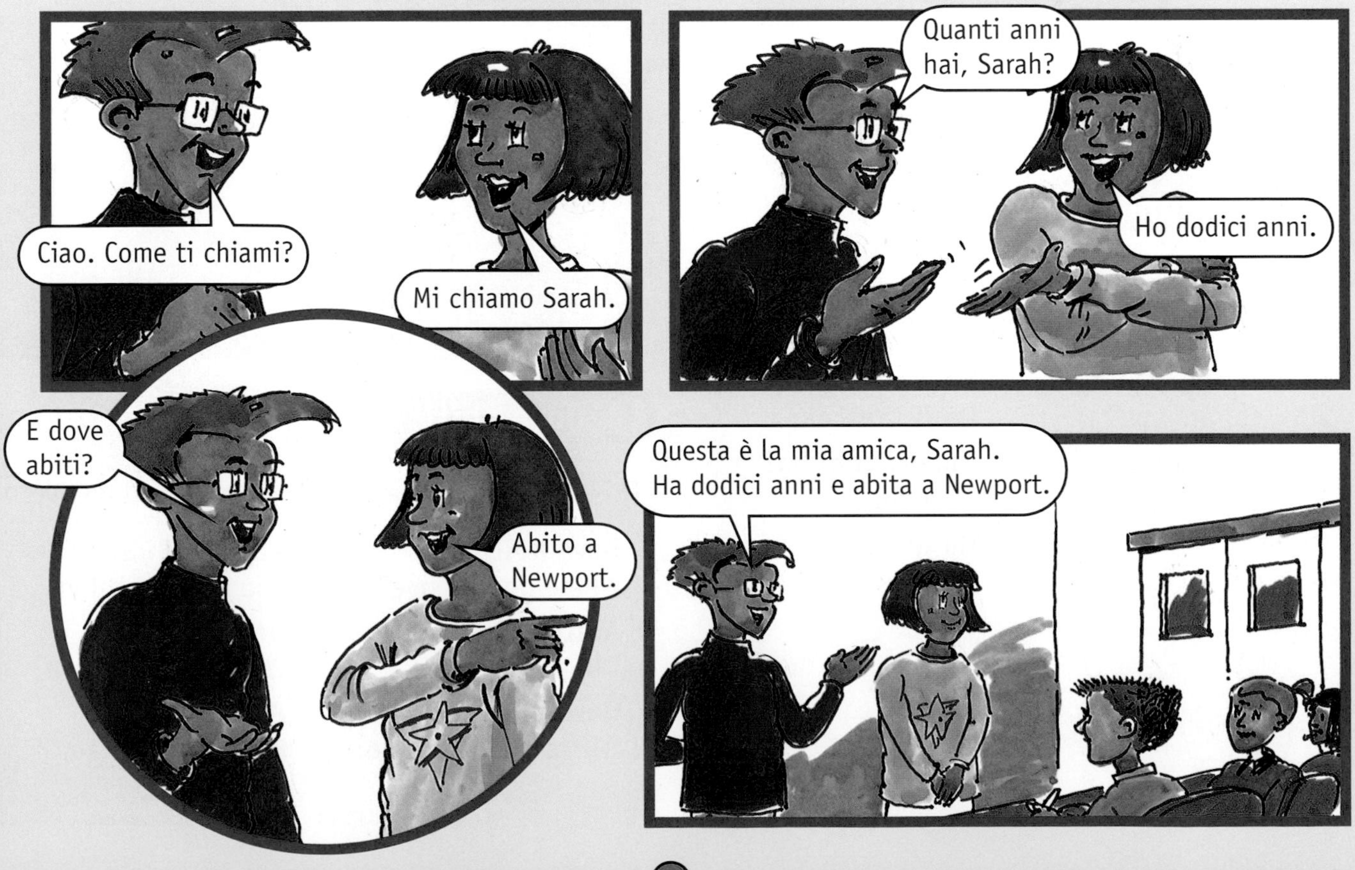

Ciao. Come ti chiami?

Mi chiamo Sarah.

Quanti anni hai, Sarah?

Ho dodici anni.

E dove abiti?

Abito a Newport.

Questa è la mia amica, Sarah. Ha dodici anni e abita a Newport.

Studiamo la lingua!

2 Ciao, come stai?

These are the expressions you commonly use when you meet and greet people.

Ciao!
Hi! Bye!

Buongiorno.
Good morning. Hello.

Buonasera.
Good evening.

Arrivederci.
Goodbye. See you later.

Come stai?
How are you?

Bene, grazie.
Well, thanks.

Non c'è male.
Not bad.

E tu?
And you?

3 Come ti chiami?

This is how you ask and give names in Italian.

Come ti chiami?
What's your name?

Mi chiamo Alessia.
My name is Alessia.

Come si chiama?
What's his name?

Si chiama Roberto.
His name is Roberto.

Come si chiama?
What's her name?

Si chiama Laura.
Her name is Laura.

4 Quanti anni hai?

These are the expressions you need for asking and giving someone's age.

Quanti anni hai?
How old are you?

Ho dodici anni.
I'm twelve.

Quanti anni ha?
How old is he?

Ha tredici anni.
He is thirteen.

Quanti anni ha?
How old is she?

Ha undici anni.
She is eleven.

5 Il mio amico/la mia amica

You will find this language useful for asking who's who and for introducing your friends.

Chi è questo?
Who is this?

Questo è Gino.
This is Gino.

Questo è il mio amico Gino.
This is my friend Gino.

Chi è questa?
Who is this?

Questa è Gina.
This is Gina.

Questa è la mia amica Gina.
This is my friend Gina.

6 Dove abiti?

This is how to ask and to say where people live.

Dove abiti?
Where do you live?

Abito a Roma.
I live in Rome.

Dove abita?
Where does she live?

Abita a Milano.
She lives in Milan.

Dove abita?
Where does he live?

Abita a Milano.
He lives in Milan.

Capitolo 1

Capitolo 2

prima parte

Ti piace?

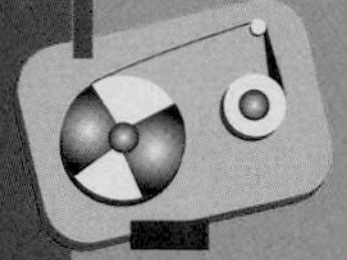

Questa è Angela. Ha dodici anni e fa la seconda media.

E questa è la mia amica Lidia. Anche lei ha dodici anni.

Lidia è sportiva. È molto brava in basket. È molto veloce.

Questa è Antonella. Lei è molto intelligente.
È molto brava in inglese, italiano e storia.

Questa è Barbara. È molto brava in matematica.

Mi piace Barbara ma è birichina.

Ecco la signora Gallicani. È severa ma è molto simpatica.

Mi piace la musica.

Questo è Adriano. È nuovo.
Lui è bravo in informatica.

Ecco Elena. È alta e bella.
Elena ha tredici anni.

Impariamo le parole!

alto	tall	**l'atletica**	athletics
antipatico	annoying, a pain	**il basket**	basketball
bello	good-looking, beautiful	**il computer**	computer
birichino	naughty	**la musica**	music
bravo (in)	good (at)	**la televisione**	television
brutto	ugly	**la scuola**	school
forte	strong	**l'informatica**	computer studies
intelligente	intelligent	**l'inglese**	English
nuovo	new	**l'italiano**	Italian
piccolo	small	**la matematica**	mathematics
pronto	ready	**la storia**	history
severo	strict	**com'è?**	what's he/she like?
simpatico	nice	**ecco!**	here is! there is!
sportivo	athletic	**presto!**	quickly!
veloce	quick, fast	**senti!**	listen!
		molto	very
lo sport	sport	**un momento!**	wait a minute!

A tu per tu

Ah, ecco	la nuova ragazza. il nuovo ragazzo.	Ciao. Come ti chiami?

Mi chiamo	Lisa. Marcello.

Non mi piace il tennis. Non sono sportivo.

Senti,	Marcello, Lisa,	ti piace	il tennis? il basket? l'atletica?

No, non mi piace lo sport. Non sono	sportivo. sportiva.

Allora, ti piace	Midnight Oil? Pearl Jam? Madonna?

No, non mi piace la musica.

Va bene. Ti piace	*Baywatch*? *Beautiful*? *Neighbors*?

No, non mi piace la televisione.

Ti piace	l'italiano, la matematica, la storia,	allora?

No, non mi piace la scuola.

Uffa! Sei	antipatico! antipatica!

Capitolo 2

In poche parole 1

alto

antipatico

bello

birichino

bravo

brutto

forte

intelligente

piccolo

severo

simpatico

sportivo

veloce

1

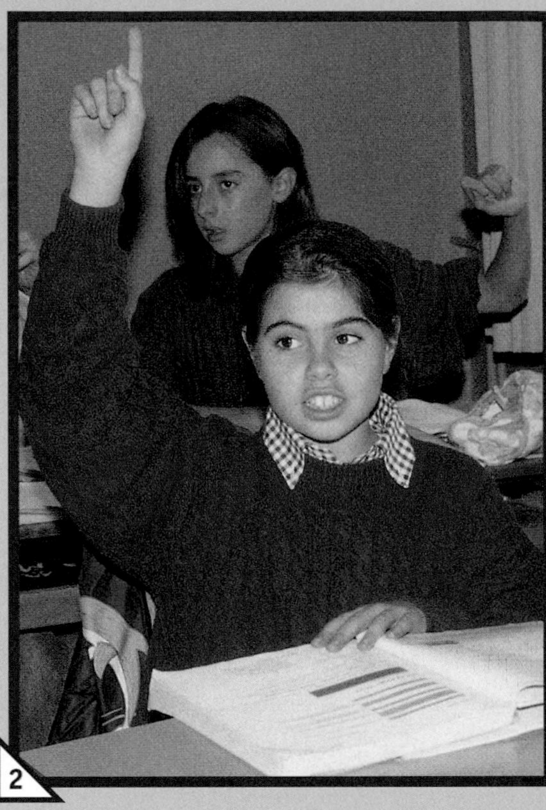

2

3

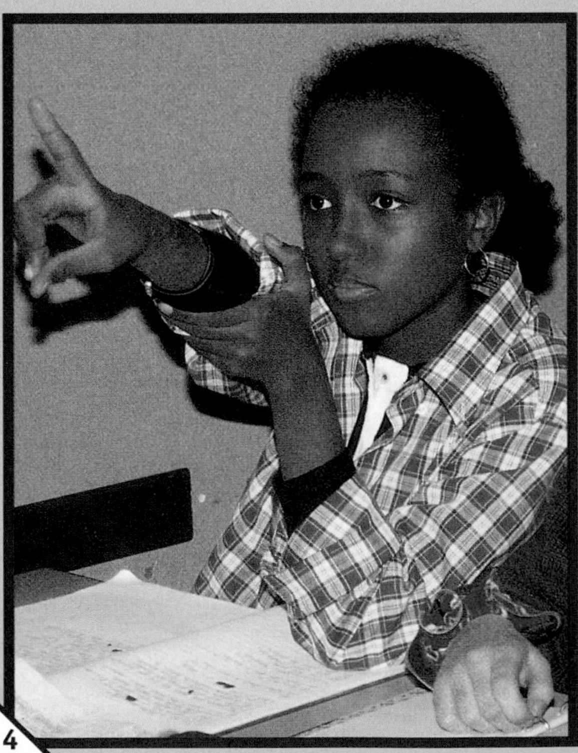

4

5

6

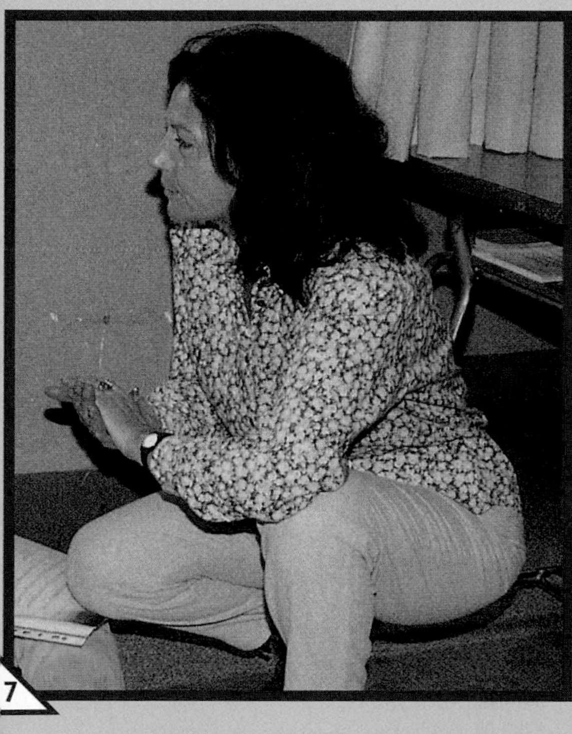

7

8

A 1 Come si chiama **lei**?
Si chiama **Angela**.

B 6 **Elena** è **bella**?
Sì, è molto **bella**.

6 *o*
No, non è molto **bella**.

C 4 Com'è **Barbara**?
(**Lei**) è **birichina**.

D 8 Ti piace **Giorgio**?
Sì, mi piace. È simpatic**o**.

8 *o*
No, non mi piace. È antipatic**o**.

Studiamo la lingua!

1 Com'è?

In Italian, you use the masculine form of an adjective to describe a male and the feminine form to describe a female. Some adjectives follow this pattern:

masculine **-o**	feminine **-a**

Giorgio è alto.
Giorgio is tall.

Elena è alta.
Elena is tall.

Other adjectives follow this pattern:

masculine **-e**	feminine **-e**

Adriano è intelligente.
Adriano is smart.

Antonella è intelligente.
Antonella is smart.

2 Che domande!

You can make a question in Italian simply by putting a quesion mark at the end of your sentence.

Giorgio è simpatico.
Giorgio is nice.

Giorgio è simpatico?
Is Giorgio nice?

When you are *speaking* Italian you make it clear that you are asking a question by using a questioning tone of voice.

Barbara è pronta?
Is Barbara ready?

Sei pronta, Barbara?
Are you ready, Barbara?

3 Molto

The Italian word for 'very' is **molto**. It doesn't change as the adjectives do.

Giorgio è molto sportivo.
Giorgio is very athletic.

Lidia è molto sportiva.
Lidia is very athletic.

Giorgio è molto forte.
Giorgio is very strong.

Lidia è molto forte.
Lidia is very strong.

4 Mi piace

This is how to talk about liking or not liking a person.

Mi piace Antonella.
I like Antonella.

Ti piace Giorgio?
Do you like Giorgio?

Sì, mi piace Giorgio.
Yes, I like him.

Ti piace Elena?
Do you like Elena?

No, non mi piace.
No, I don't like her.

This is how to talk about liking or not liking a thing

Ti piace il basket?
Do you like basketball?

No, non mi piace lo sport.
No, I don't like sports.

Mi piace la scuola.
I like school.

Ti piace l'italiano?
Do you like Italian?

Notice that in Italian you use the word for 'the' with the thing you like. You will learn more about 'the' later.

seconda parte

Datevi la mano!

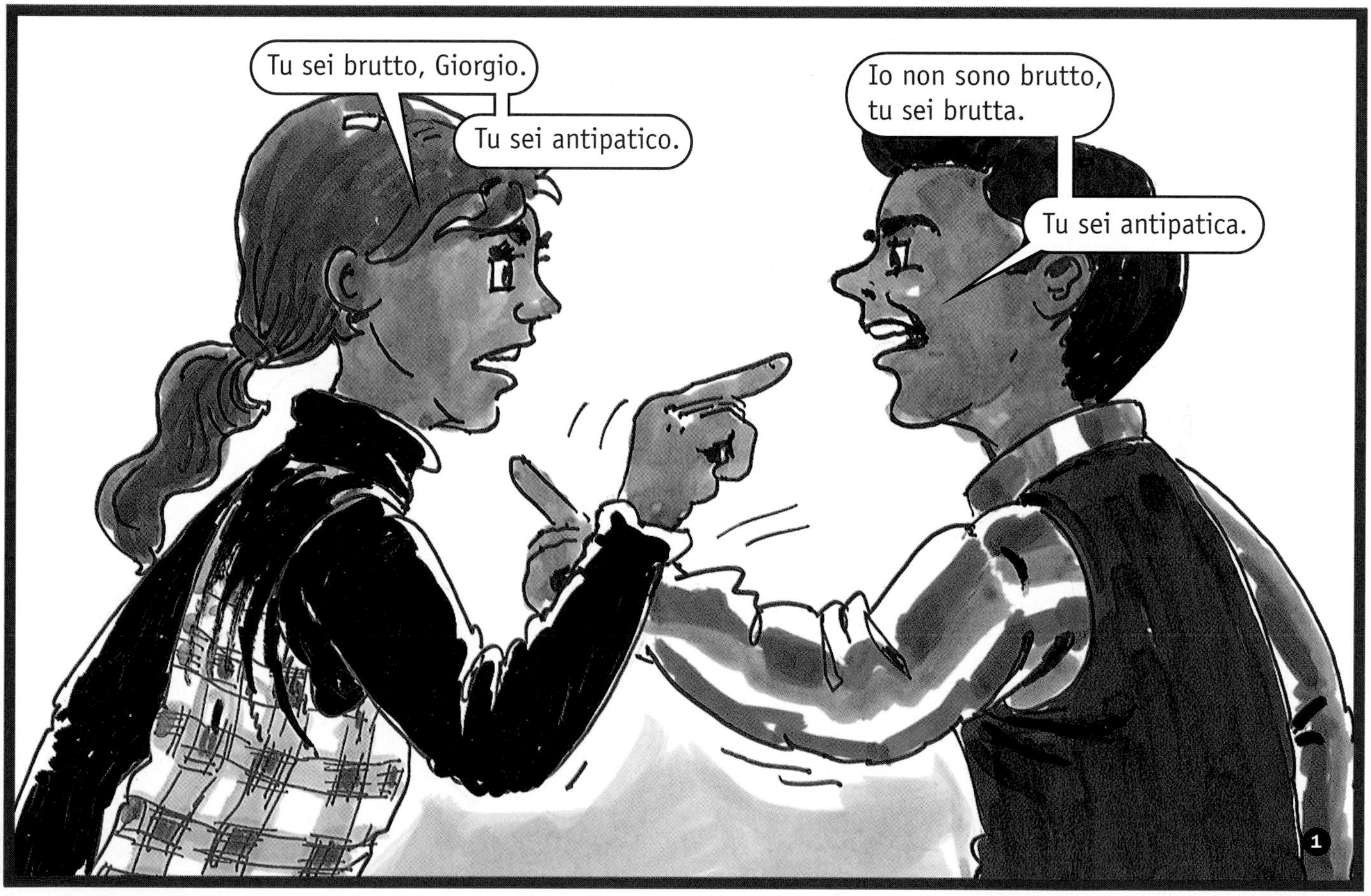

Tu sei brutto, Giorgio.

Tu sei antipatico.

Io non sono brutto, tu sei brutta.

Tu sei antipatica.

1

Sta zitta, Luisa! Basta!
Presto, siediti qui!
Sieditì! Subito!
Ma signora, non
mi piace Giorgio.
4

Sei pronta, Barbara?
No, non sono
pronta, signora.
5

Sì, signora.
Birichina!
Presto!
6
Allora, uno, due,
tre, quattro…
7

Aii!! Signora!!
Basta, Luisa! Che c'è?
Non ti piace la musica?
ZIP
8

Sì, mi piace, ma è Giorgio,
signora. È antipatico!
È Luisa, signora.
È antipatica!
9

Capitolo 2

Impariamo le parole!

datevi la mano!	shake hands!	**siedeti!**	sit down! (*to one person*)
niente	nothing	**sta zitto!**	be quiet!
aii!	ow!	**subito!**	immediately!
allora	then, all right then!	**vieni qui!**	come here!
basta!	that's enough!	**puah!**	yuk!
bravo!	well done!	**che schifo!**	how disgusting!
che c'è?	what's wrong?		

Che ore sono?

Sono le dodici e un quarto.

1

2

1

Che ore sono?

Guarda! Sono le **dieci meno venticinque**.

Sono le nove meno un quarto.

3

4

5

Sono le dieci e mezzo.

6

Che ore sono?

7

8

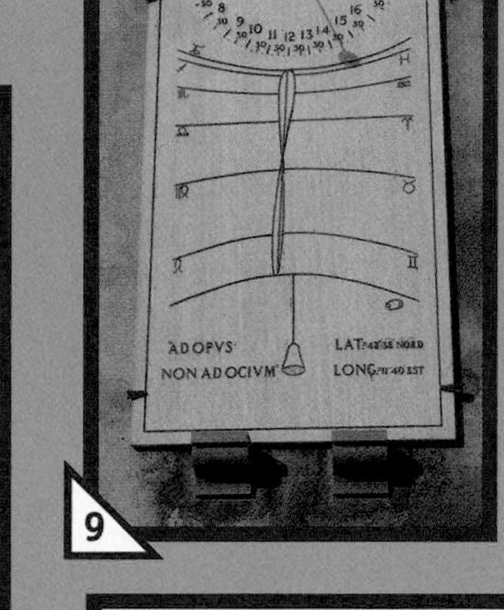

9

10

11

12

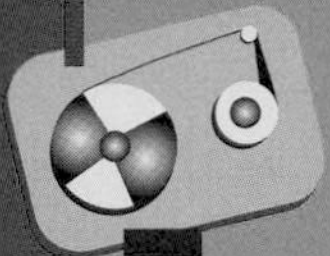

terza parte

Sempre a scuola

Sono le otto meno un quarto.

Bianca ha quattordici anni. È intelligente e sportiva.

Ecco lo zaino di Bianca.

Questa è la signora Polli, la professoressa d'inglese. È molto severa.

Capitolo 2

Ecco il tavolo di Bianca.

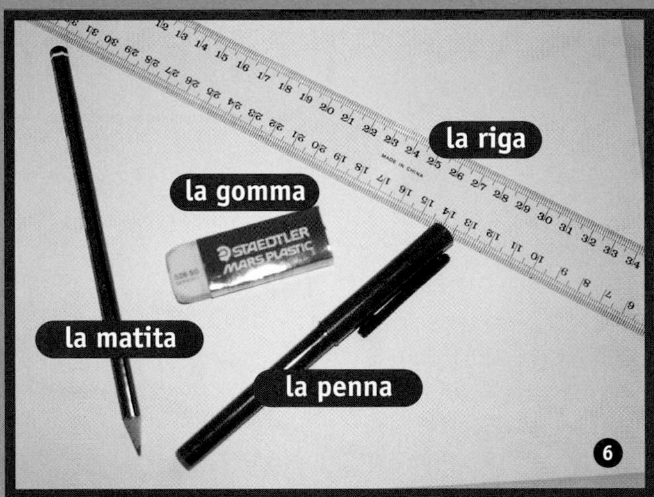

È l'una e un quarto. La scuola è finita.

Impariamo le parole!

la lavagna	blackboard
il professore	teacher (*male*)
la professoressa	teacher (*female*)
il tavolo	table, desk
compro	I'm buying
costa	it costs
domani	tomorrow

oggi	today
a domani!	see you tomorrow!
quanto costa...?	how much is...?
fantastico	great, fantastic
finito	finished, over
sempre	still

In poche parole 2

LIBRERIA

Dov'è **la tua riga**?

Ecco **la mia riga**! È qui.

Quanto costa **il diario**?

Costa **seimila** lire.

A lingua sciolta!

1 Non è vero!

Introduce yourself to your class, giving a detailed description. Include something that is not true and see who can pick it up.

2 Ti piace?

Interview, say, five of your classmates to see who comes closest to liking the same things you do.

Capitolo 2

Studiamo la lingua!

5 Maschile e femminile

Italian nouns are divided into two basic groups: **il** words and **la** words.

Il words are called *masculine*, **la** words are called *feminine*.

masculine		feminine	
il diario	the diary	**la gomma**	the eraser
il libro	the book	**la riga**	the ruler
il nome	the name	**la classe**	the class

Most masculine nouns end in **-o**, but there are many that end in **-e**.

Most feminine nouns end in **-a**, but there are many that end in **-e**.

Before Italian nouns starting with a vowel, **il** and **la** change to **l'**.

masculine		feminine	
l'astuccio	the pencil case	**l'amica**	the friend
l'amico	the friend	**l'atletica**	(the) athletics

If a masculine noun starts with a **z** or **s + consonant**, **il** changes to **lo**.

lo zaino	the backpack
lo sport	(the) sport

You don't have to understand this all at once. You will have many opportunities to learn more about Italian nouns.

6 Mio e tuo

With a *masculine* noun you use **il mio** ('my') and **il tuo** ('your'). With a *feminine* noun you use **la mia** ('my') and **la tua** 'your'.

You don't have to worry about what letter the noun starts with.

Questo è il mio amico Giorgio.
This is my friend Giorgio.

Dov'è il tuo zaino?
Where is your backpack?

Questa è la mia classe.
This is my class.

Ecco la tua amica!
There's your friend!

7 Essere...

You need to know these parts of the verb **essere**, 'to be'.

io	**sono**	I am
tu	**sei**	you are
lui	**è**	he is
lei	**è**	she is

You don't have to use the pronouns **io**, **tu**, **lui** or **lei**.

Sono molto intelligente.
I am very smart.

Sei pronta, Barbara?
Are you ready, Barbara?

È simpatico.
He's nice.

È simpatica.
She's nice.

You use the pronouns when you want to emphasise 'I', 'you', 'he' or 'she'.

Io non sono brutto, tu sei brutta.
I'm not ugly, *you're* ugly.

Anche lui è in ritardo.
He's late too.

As well as 'he is' and 'she is', **è** also means 'it is'.

La tua matita? È qui.
Your pencil? It's here.

Most often, **è** simply means 'is'.

La signora Polli è molto severa.
Ms. Polli is very strict.

8 ...o non essere

To say that someone or something is *not...*, put **non** in front of **sono**, **sei**, **è**.

Non sono molto bravo.
I'm not very good.

Non sei pronto?
Aren't you ready?

Il tuo zaino non è qui.
Your backpack isn't here.

9 Di chi è?

To say who owns what in Italian you need the word **di**.

Ecco lo zaino di Bianca.
Here is Bianca's backpack.

10 Diamo i numeri!

10	**dieci**	60	**sessanta**
20	**venti**	70	**settanta**
30	**trenta**	80	**ottanta**
40	**quaranta**	90	**novanta**
50	**cinquanta**	100	**cento**
1000	**mille**		
2000	**duemila**		
3000	**tremila**		
10 000	**diecimila**		

Capitolo 3

prima parte

A casa con i Ferraro

La famiglia Ferraro abita in un appartamento a Roma. L'appartamento è grande, con tre camere da letto.

Questa è mia madre. Si chiama Maura. Mamma è molto simpatica ma è un po' timida.

Questo è mio padre. Si chiama Antonio. Papà è un po' pigro. Guarda sempre la televisione in salotto.

Questa è la mia camera da letto. Faccio i compiti qui.

A casa con i Ferraro

Qualche volta faccio i compiti d'inglese con papà.

6

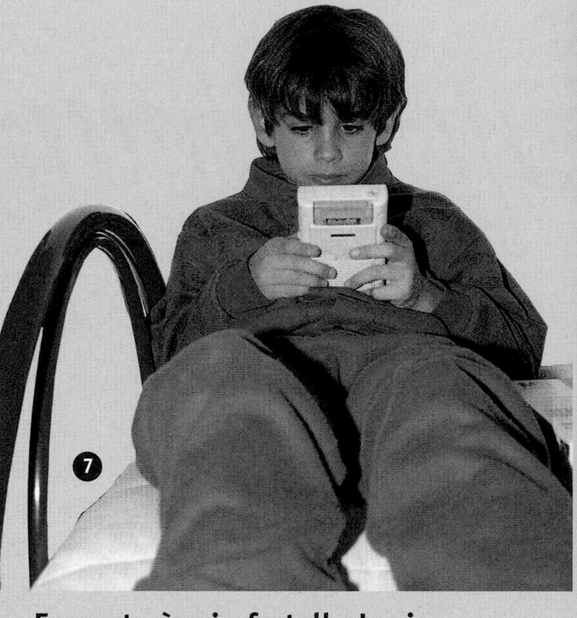

7

E questo è mio fratello Lucio. Non ho sorelle.

Lucio non ha compiti. Lui gioca con il Game Boy. Su, Lucio! È il mio letto!

A pranzo oggi mangiamo spaghetti. Mamma e papà preparano gli spaghetti in cucina.

8

Gli spaghetti sono al dente

9

...il sugo è pronto...

10

...ma noi non siamo pronti. Andiamo in bagno. Papà aiuta il mio piccolo fratello. Che bambinone!

11

Papà taglia il pane...

...e finalmente mangiamo in sala da pranzo. Gli spaghetti sono molto buoni.

gi abbiamo un dolce. È una torta.

po pranzo aiutiamo mamma e papà in cucina.

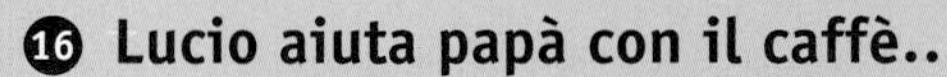

16 Lucio aiuta papà con il caffè...

...ed io aiuto mamma con i piatti. Ma io faccio sempre il bravo!

La famiglia Ferraro è simpatica, ma qualche volta è un po' matta.

Impariamo le parole!

la famiglia	family
il bambinone	big baby
il fratello	brother
la madre	mother
la mamma	Mom
il padre	father
il papà	Dad
la sorella	sister
l'appartamento	apartment
la casa	house
il bagno	bathroom
la camera da letto	bedroom
la cucina	kitchen
il gabinetto	toilet
il letto	bed
la sala da pranzo	dining room
il salotto	living room
aiutare	to help

fare i compiti	to do your homework
fare i piatti	to do the dishes
fare il bravo	to be a good boy
giocare	to play
guardare	to watch
mangiare	to eat
parlare	to speak
preparare	to prepare
tagliare	to cut
il pranzo	lunch
il dolce	sweets, dessert
il sugo	sauce
il pane	bread
il caffè	coffee
la torta	cake
buono	good

grande	big
goloso	greedy
pigro	lazy
matto	mad, crazy
timido	shy
aspetta!	wait!
buon appetito!	enjoy your meal!
che cosa?	what?
con	with
dopo	after
finalmente	at last
piano!	slowly!
qualche volta	sometimes
quanti?	how many?
su!	come on! get up!
un po'	a bit

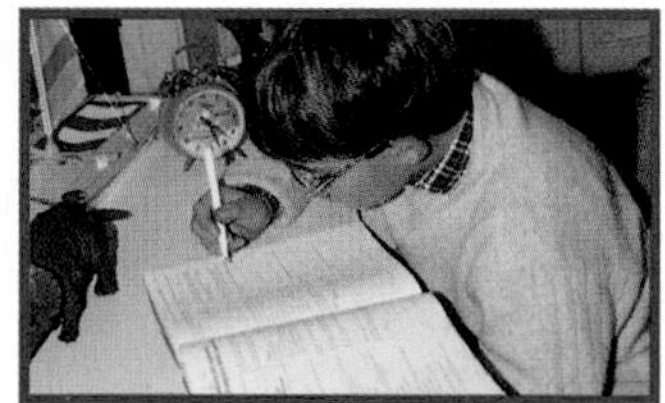

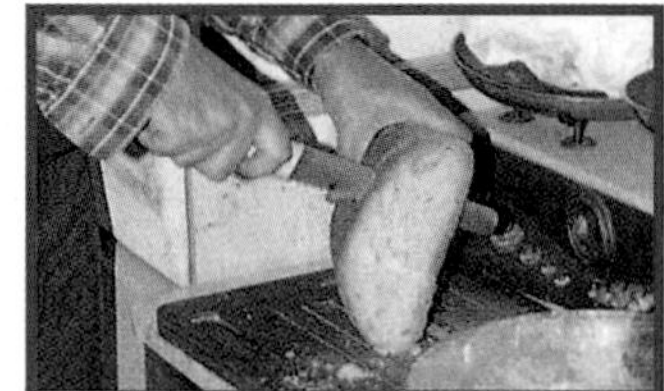

Domande 1

1. **Quanti fratelli ha Lucio?**
2. **Quante sorelle ha Francesco?**
3. **Come si chiama il fratello di Francesco?**
4. **Come si chiama la madre di Francesco?**
5. **Come si chiama il padre di Francesco?**
6. **Com'è Maura?**
7. **Com'è Antonio?**
8. **Com'è Lucio?**
9. **Com'è Francesco?**
10. **Com'è la famiglia Ferraro?**

A tu per tu

Quanti fratelli e sorelle hai?

Ho	un due tre	fratello. fratelli.	E tu?

Non ho fratelli ma ho	una quattro	sorella. sorelle.

Siete Hai	una	famiglia	piccola. grande.	Com'è Come sono	tua sorella? le tue sorelle?

È Sono	un po' molto	pigra/e, spiritosa/e, timida/e,	ma mi	piace. piacciono.

A lingua sciolta!

1 La mia famiglia

Bring in some family photos and talk about them with a friend or in a group. Make sure you have some baby photos and see if they can guess who's who.

Domande 2

1 Dove abita la famiglia Ferraro?
2 Hanno una casa o un appartamento?
3 Com'è l'appartamento?
4 Quante camere da letto ha?
5 Dove guarda la televisione Antonio?
6 Dove fa i compiti Francesco?
7 Dove taglia il pane Antonio?
8 Dove mangia la famiglia?
9 Dove fanno i piatti?

A lingua sciolta!

2 La mia casa

Draw up a plan of your house and then present it to your class or to a group of classmates. Be prepared to answer their questions.

Studiamo la lingua!

1 Ecco un uno!

This table shows you what word to use for 'a' or 'an' in Italian.

Masculine			
il gelato	the ice cream	**un gelato**	an ice cream
il dolce	the dessert	**un dolce**	a dessert
l'amico	the friend	**un amico**	a friend
lo zaino	the backpack	**uno zaino**	a backpack
lo sport	the sport	**uno sport**	a sport
Feminine			
la bibita	the drink	**una bibita**	a drink
l'amica	the friend	**un'amica**	a friend

2 Maschile e femminile – plurale

This table shows you how to form the plural of **il** and **la** words.

Masculine singular		Masculine plural	
il fratello	the brother	**i fratelli**	the brothers
il padre	the name	**i padri**	the fathers
l'amico	the friend	**gli amici**	the friends
lo zaino	the backpack	**gli zaini**	the backpacks
lo sport	the sport	**gli sport**	the sports
Feminine singular		**Feminine plural**	
la famiglia	the family	**le famiglie**	the families
la madre	the mother	**le madri**	the mothers
l'amica	the friend	**le amiche**	the friends

Most masculine nouns ending in **-io** have their plural in **-i**.

il diario → i diari
l'astuccio → gli astucci

Most feminine nouns ending in **-ca** and **-ga** have their plural in **-che** and **-ghe**.

l'amica → le amiche
la riga → le righe

lo spaghetto

gli spaghetti

Capitolo 3

3 Pronto. Sei pronta?

In Italian, you use the masculine form of an adjective to describe a masculine noun and the feminine form to describe a feminine noun. And if the noun is plural, you have to use the plural form of the adjective as well.

Some adjectives follow this pattern:

Masculine singular	**-o**	Masculine plural	**-i**
Feminine singular	**-a**	Feminine plural	**-e**

Il pranzo è pronto.
Lunch is ready.

Gli spaghetti sono pronti.
The spaghetti is ready.

La torta è pronta.
The cake is ready.

Le lasagne sono pronte.
The lasagna is ready.

Other adjectives follow this pattern:

Masculine singular	**-e**	Masculine plural	**-i**
Feminine singular	**-e**	Feminine plural	**-i**

L'appartamento è grande.
The apartment is big.

Gli appartamenti sono grandi.
The apartments are big.

La cucina è grande.
The kitchen is big.

Le camere da letto sono grandi.
The bedrooms are big.

4 Mamma mia!

When talking about members of your family you do not use **il** and **la** with **mio**, **tuo** and **mia**, **tua**.

il mio amico	my friend
mio fratello	my brother
la tua amica	your friend
tua sorella	your sister

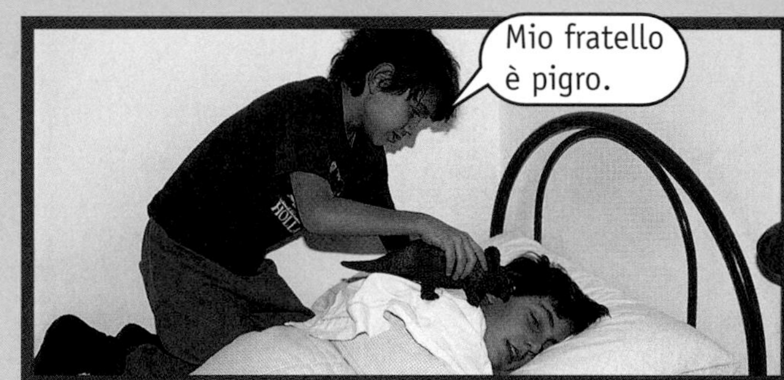

Domande 3

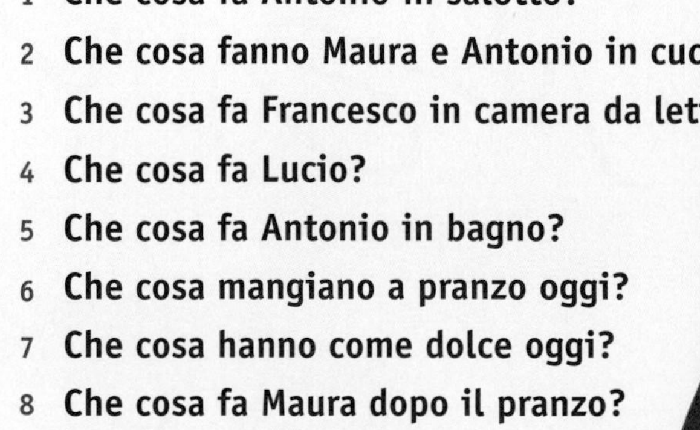

1. **Che cosa fa Antonio in salotto?**
2. **Che cosa fanno Maura e Antonio in cucina?**
3. **Che cosa fa Francesco in camera da letto?**
4. **Che cosa fa Lucio?**
5. **Che cosa fa Antonio in bagno?**
6. **Che cosa mangiano a pranzo oggi?**
7. **Che cosa hanno come dolce oggi?**
8. **Che cosa fa Maura dopo il pranzo?**
9. **Che cosa fa Francesco?**
10. **Che cosa fa Lucio?**

In poche parole 1

A Scusa, **Barbara,** che cosa fai ?
Gioco a **tennis** con **Antonella.**

B **Lidia, Angela,** scusate! Che cosa fate?
Giochiamo a **ping-pong.**

C Che cosa fanno **Lucio** e **Francesco?**
Giocano a **baseball.**

In poche parole 2

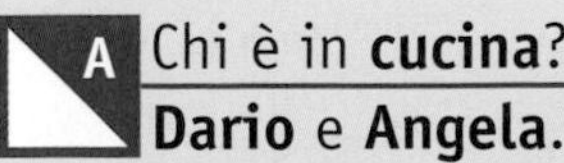
Chi è in **cucina**?
Dario e **Angela**.

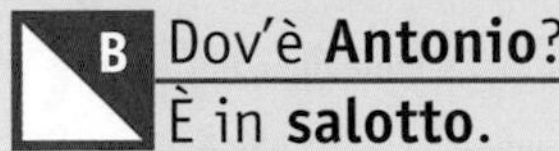
Dov'è **Antonio**?
È in **salotto**.

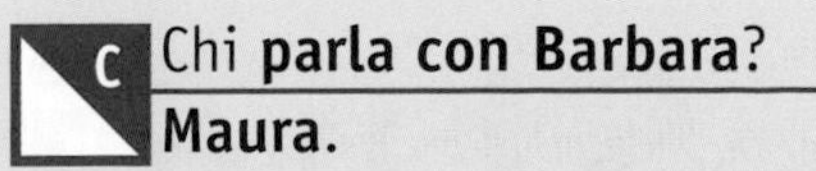
Chi **parla con Barbara**?
Maura.

Che cosa fa **Roberto**?
Aiuta Scarno con la torta.

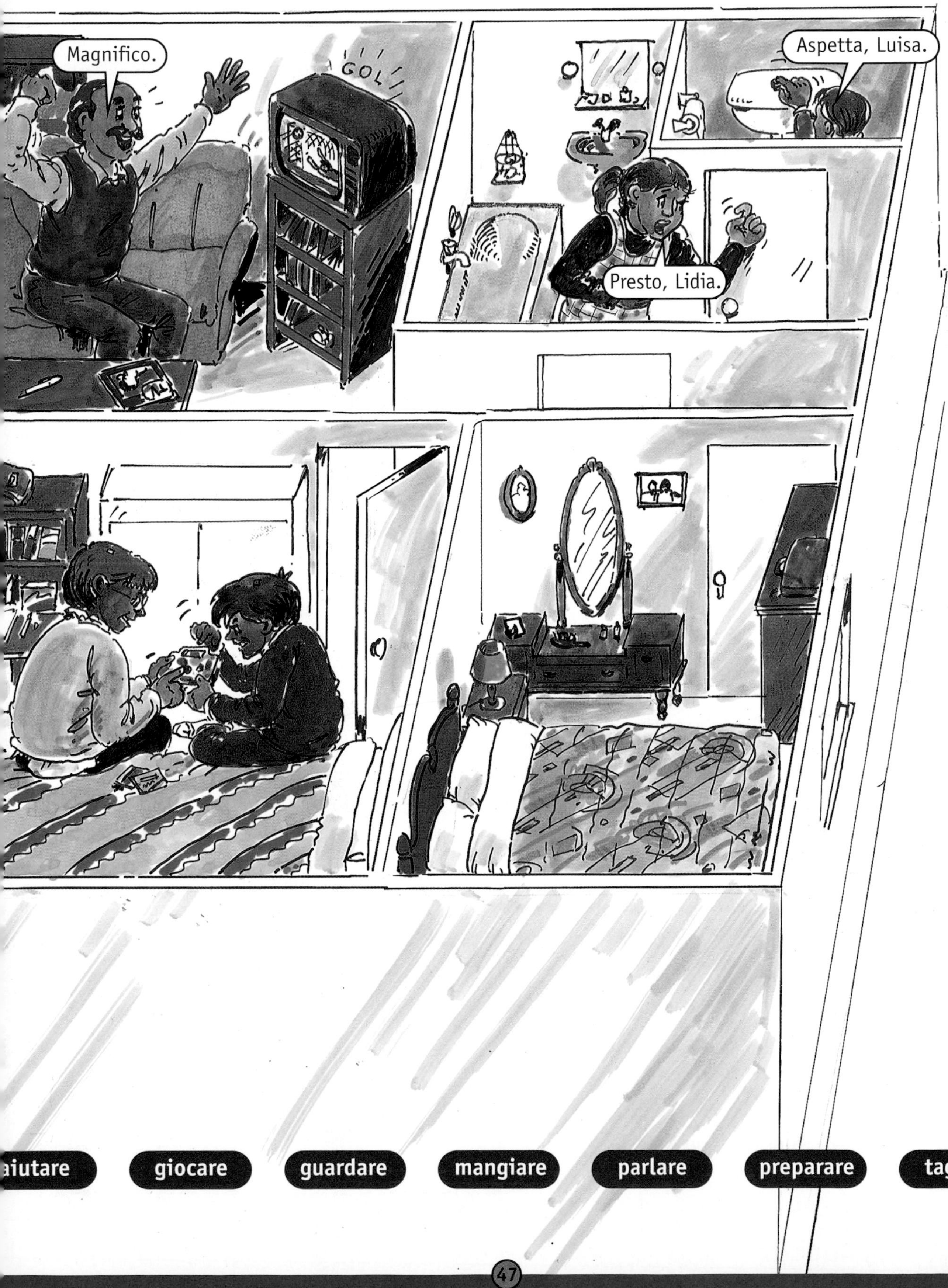

aiutare giocare guardare mangiare parlare preparare tagliare

Studiamo la lingua!

5 Mi piacciono

This is how to talk about liking or not liking more than one person or more than one thing.

Ti piacciono Maura e Antonio?
Do you like Maura and Antonio?

Sì, mi piacciono.
Yes, I like them.

Ti piacciono le torte?
Do you like cakes?

No, non mi piacciono.
No, I don't like them.

6 Parlare di 'are'

In English, the most important clue as to who is doing an action is the pronoun you use with the verb: *I* speak, *you* speak etc.

In Italian, the most important clue as to who is doing an action is the ending you use with the verb:

parlo	**parli**
I speak	you speak

You don't even have to use the pronouns (**io**, **tu** etc.).

Parlare ('to speak') belongs to a large group of verbs that follow a regular pattern: you remove the **-are** and add the ending that tells who is doing the action.

	parlare	to speak
io	**parlo**	I speak
tu	**parli**	you (*singular*) speak
lui, lei	**parla**	he, she speaks
noi	**parliamo**	we speak
voi	**parlate**	you (*plural*) speak
loro	**parlano**	they speak

Here are the other **-are** verbs you have met so far.

abitare	to live
aiutare	to help
aspettare	to wait
giocare	to play
guardare	to look, to watch
mangiare	to eat
preparare	to prepare
tagliare	to cut

You will have many opportunities to learn more about and to practice Italian verbs.

7 Che cosa fai?

Fare, the verb that means 'to do' or 'to make', does not follow the regular pattern of the **-are** verbs. It is an irregular verb.

	fare	to do, to make
io	**faccio**	
tu	**fai**	
lui, lei	**fa**	
noi	**facciamo**	
voi	**fate**	
loro	**fanno**	

Parts of **fare** are often used in questions to find out what people are doing.

Che cosa fai, mamma?
What are you doing, Mom?

Mangio la mia cena a letto.
I'm eating my dinner in bed.

Che cosa fate, ragazzi?
What are you doing, boys?

Giochiamo con il Game Boy.
We're playing with the Game Boy.

Che cosa fanno Maura e Antonio?
What are Maura and Antonio doing?

Fanno il sugo per la pasta.
They're making the sauce for the pasta.

Notice that **mangio** can mean 'I am eating' as well as 'I eat', **giochiamo** can mean 'we're playing' as well as 'we play' and **fanno** can mean 'they're making' as well as 'they make'. You can use the same verb forms to say what people *are doing* as the ones you use to say what they *do*.

Gioca a tennis.
He plays tennis. *or* He's playing tennis.

You will notice that some of the verb forms of **giocare** contain an **h**. Why do you think this is so?

8 Essere e avere

Essere and **avere** are two important irregular verbs that you need to learn by heart.

	essere	to be
io	**sono**	I am
tu	**sei**	you are
lui, lei	**è**	he, she, it is
noi	**siamo**	we are
voi	**siete**	you are
loro	**sono**	they are

	avere	to have
io	**ho**	I have
tu	**hai**	you have
lui, lei	**ha**	he, she, it has
noi	**abbiamo**	we have
voi	**avete**	you have
loro	**hanno**	they have

seconda parte

La squadra Ferraro

Su, Maura! Uffa, sei così pesante!

Sta zitto, spiritoso! Sono molto leggera.

1

Che cosa facciamo?
Io faccio la spesa e voi preparate il sugo per la cena. Mangiamo penne stasera. La verdura per il sugo è in cucina.
4

Forza, ragazzi! Buon lavoro! Facciamo una bella squadra, vero?
Sì, mamma. Ciao!
5

Un'ora dopo.

Ma il sugo non è pronto. Ah, sono pigri questi ragazzi! Antonio, Francesco, Lucio, dove siete?
6

Che cosa fate?
Giochiamo con il Game Boy. La cena è pronta?
7

E tu, che cosa fai?
La mia squadra gioca oggi, tesoro.
Ma la squadra Ferraro non gioca, vero?
8

Che cosa fai, mamma? La cena non è pronta.
Non è pronta? Va bene, aspetto. Mi piacciono le penne con la verdura.
9

Andiamo in cucina, ragazzi.
10

Mezz'ora dopo.

Non dire stupidaggini!

1. Maura è pesante.
   Non dire stupidaggini! È molto leggera.
2. Maura è brutta.
   Non dire stupidaggini! È molto...
3. I Ferraro hanno spaghetti per la cena.
   Non dire stupidaggini! Hanno...
4. Maura non prepara la cena, ma fa i piatti.
   Non dire stupidaggini!...
5. Il sugo di verdura è pronto.
   Non dire stupidaggini!...
6. Le penne sono pronte.
   Non dire stupidaggini!...
7. I ragazzi fanno i compiti.
   Non dire...
8. Antonio aiuta i ragazzi con i compiti.
   Non...
9. La squadra Ferraro gioca molto bene oggi.
   ...
10. Maura prepara la cena per i ragazzi.
    ...

Capitolo 3

Impariamo le parole!

la cena	dinner
la fotografia	photograph
la squadra	team
il tesoro	treasure, darling
la verdura	vegetables
leggero	light
pesante	heavy
spiritoso	witty, clever
spiritoso!	smart aleck
aspettare	to wait
fare la spesa	to do the shopping
buon lavoro!	enjoy your work!
c'è	there is, here is
la cucina è lì	the kitchen is there
non dire stupidaggini!	don't talk nonsense!
per	for
stasera	tonight
tutti in cucina!	everybody to the kitchen!
... vero?	..., don't we? ..., isn't that so?

In poche parole 3

1 gli spaghetti

2 le tagliatelle

3 i ravioli

4 le penne

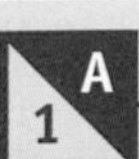
A 1 Che cosa mangi a **pranzo** oggi?
Mangio **spaghetti**.

B 3 Non mi piacciono **gli spaghetti**.
Va bene, ti piacciono **i ravioli**?

C 2 Come sono **le tagliatelle**?
Sono molto buon**e**.

5 le farfalle

6 le lasagne

test

Sei un bravo ragazzo?

Sei una brava ragazza?

Are you really a good kid? When your classmate interviews you, answer these questions honestly and you will find out.

Each time you answer **sempre** ('always') score 5 points, **qualche volta** ('sometimes') 3 points, and **mai** ('never') 1 point.

sempre | **qualche volta** | **mai**

1. **Aiuti tuo padre o tua madre a casa?**
2. **Fai il tuo letto?**
3. **Fai la spesa?**
4. **Prepari la cena?**
5. **Fai i piatti dopo cena?**
6. **Mangi la verdura a cena?**
7. **Ti piace la scuola?**
8. **Fai i compiti?**
9. **Parli italiano in classe?**
10. **Fai il bravo/la brava a casa e a scuola?**

Now that you have your total score, you can see what it all means.

**45–50 punti:
Sei un angelo!**

You're too good to be true. Loosen up and enjoy life!

**30–45 punti:
Sei bravissimo/a.**

You sound like a good kid. Keep it going!

**15–30 punti:
Sei bravo/a.**

You have room to improve but, hey, nobody's perfect.

**0–15 punti:
Sei un diavolo!**

You devil, you!

Capitolo 4

prima parte

Dal veterinario

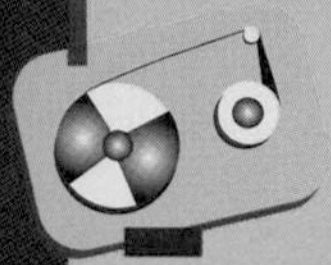

Dopo la scuola Lucio va da Antonella perchè Maura ed Antonio lavorano oggi.

Un'ora dopo...

VETERINARIO

9

Presto, Fungo!

Io non entro. Aspetto fuori.

Dal veterinario, in sala d'aspetto.

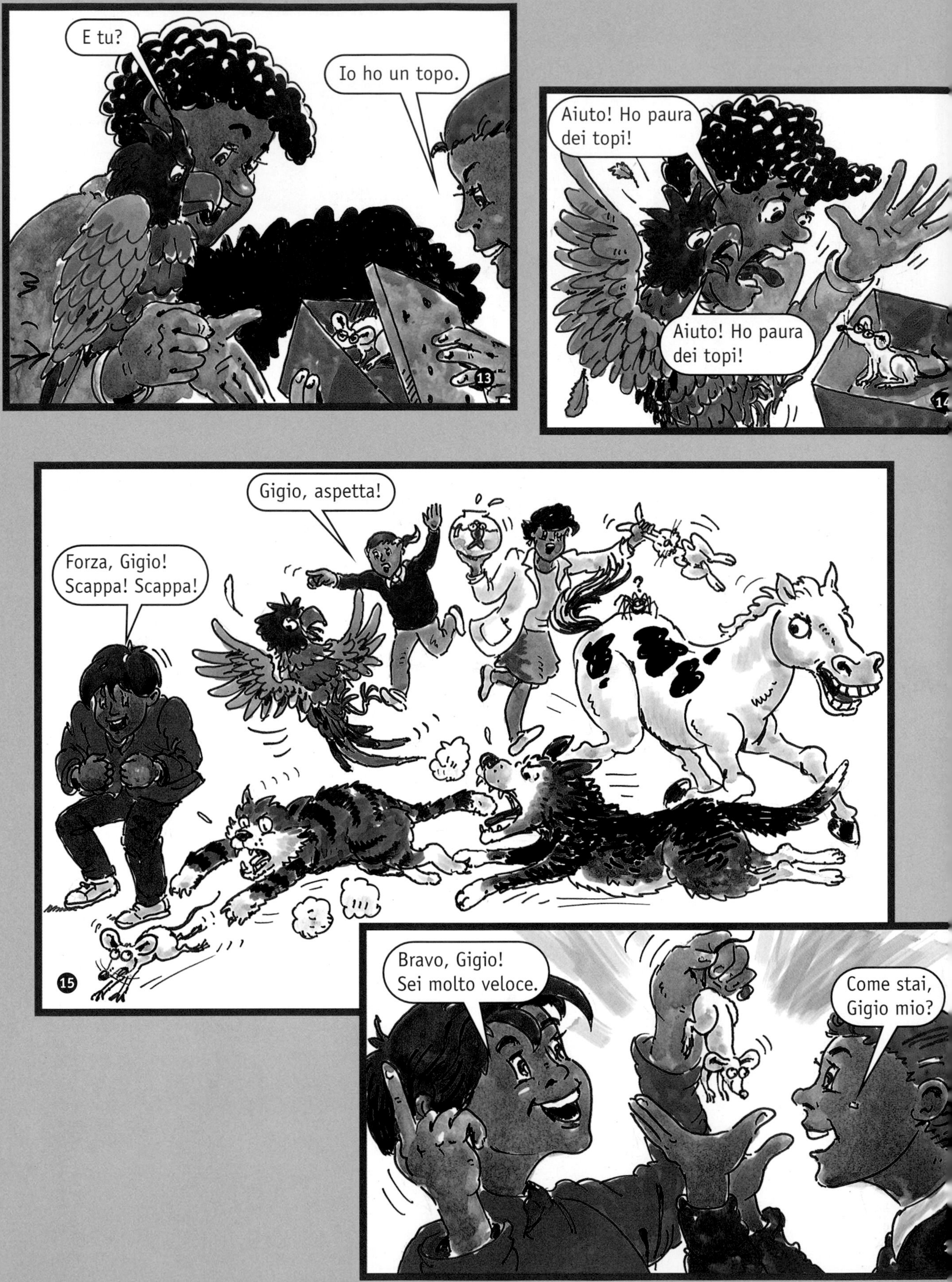

Forza, Gigio! Scappa! Scappa!

Gigio, aspetta!

15

Bravo, Gigio! Sei molto veloce.

Come stai, Gigio mio?

Due ore dopo.

Domande

1 **Dove va Lucio dopo la scuola oggi?**
2 **Perchè va da Antonella?**
3 **Chi è Gigio?**
4 **Come sta Gigio?**
5 **Lucio ama i topi?**
6 **A che cosa gioca Lucio?**
7 **Perchè Antonella e Lucio vanno dal veterinario?**
8 **Come si chiama il cane?**
9 **Perchè aspetta fuori?**
10 **Come si chiama il coniglio?**
11 **Che cos'è un pappagallo?**
12 **Quanti animali domestici ha Lucio?**
13 **Il pappagallo ama i topi?**
14 **Come sta Gigio adesso?**
15 **Lucio odia i topi adesso? Perchè (no)?**

Impariamo le parole!

l'animale (*m*)	animal	**allegro**	happy	**stare male**	to be ill
l'animale domestico	pet	**ammalato**	sick	**avere paura di**	to be scared of
il cane	dog	**divertente**	fun		
il cavallo	horse	**noioso**	boring		
il coniglio	rabbit	**prossimo**	next	**adesso**	now
il gatto	cat	**sano**	healthy	**aiuto!**	help!
il pappagallo	parrot	**stupido**	stupid	**che fifone!**	what a wimp!
il pesce	fish	**veramente**	really	**un momento!**	wait a minute!
il piccione	pigeon	**fuori**	outside	**che tipo è?**	what kind is it?
il ragno	spider				
il serpente	snake	**amare**	to love	**poveretto!**	poor thing!
la tartaruga	tortoise	**comprare**	to buy	**perchè?**	why?
il topo	mouse	**entrare**	to enter	**perchè**	because
l'uccello	bird	**lavorare**	to work	**scappa!**	go!
il veterinario	vet	**odiare**	to hate		

In poche parole 1

A Come si chiama **il coniglio**?
Si chiama **Ruggero**.

B Che animale ha **Manuela**?
Ha **un gatto**.

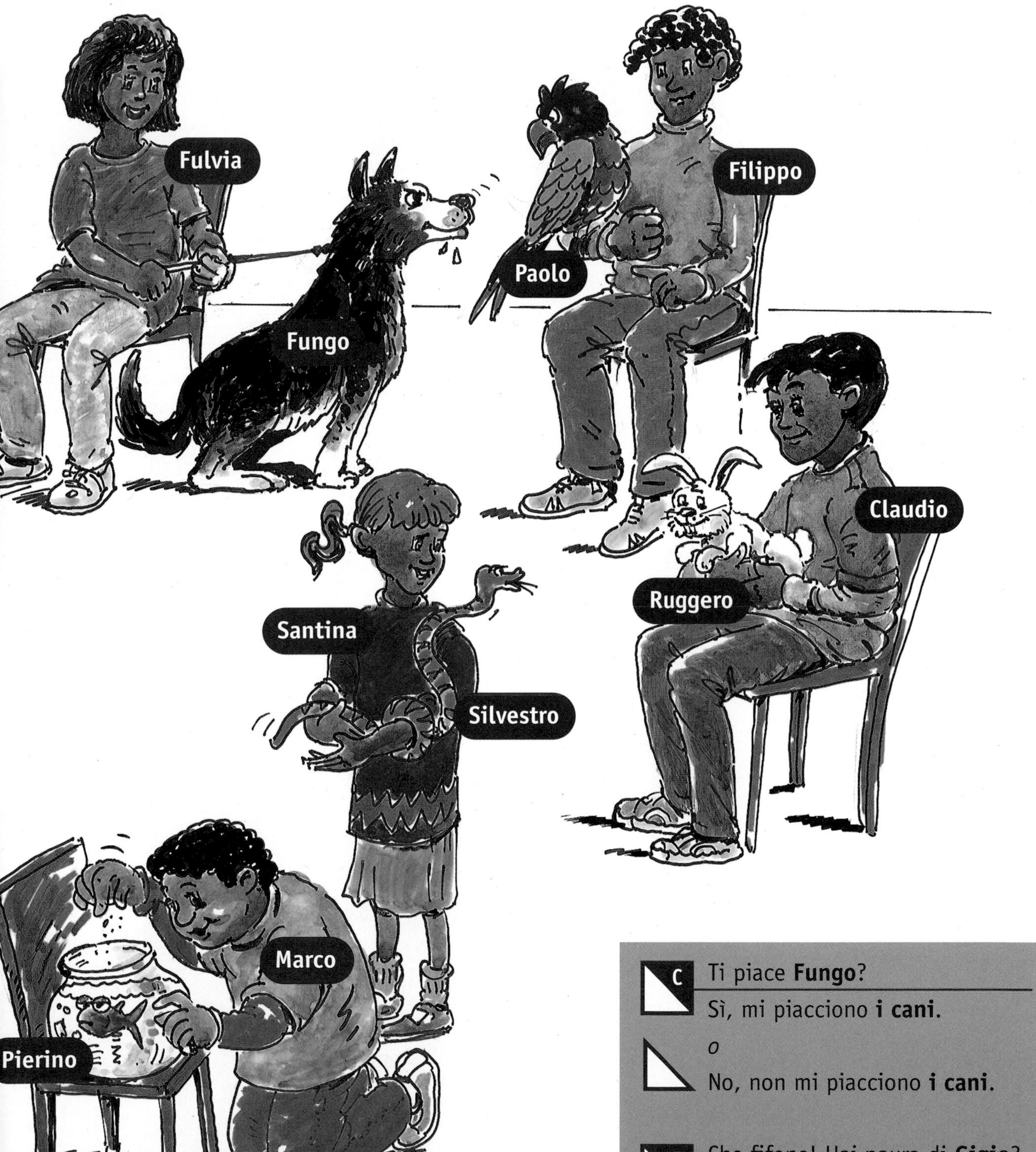

C Ti piace **Fungo**?

Sì, mi piacciono **i cani**.

o

No, non mi piacciono **i cani**.

D Che fifone! Hai paura di **Gigio**?

Eh sì, ho paura dei **topi**.

o

Ma no, non ho paura dei **topi**.

Ti piacciono gli animali?

- Che animali vediamo in questa fotografia?
- Come sono i pesci?

- Che animale vediamo qui?
- Dove aspetta?

- Chi non entra in questo negozio?
- Dove aspettano?

- Che animale vediamo qui?
- È allegro? Perchè no?

- Come si chiama questo negozio?

Capitolo 4

- I cani entrano in questo negozio o aspettano fuori?
- Che cosa vendono qui?

- Come sono i gatti?
- Perchè sono contenti?

- Che tipo di animale è la statua?
- Com'è il piccione in questa foto?
- Com'è l'acqua in questa fontana?

- Che animale vediamo qui?
- Ti piacciono i gatti?

- Perchè non è contento il cane?
- Che tipo di uccelli sono?

Capitolo 4

Impariamo le parole!

l'acqua	water	**contento**	happy
la fontana	fountain	**stufo di**	sick of
il negozio	shop	**vedere**	to see
la statua	statue	**vendere**	to sell
tutto	all, everything		

A tu per tu 1

Aiuto! Vieni presto!	Sono in	camera da letto. salotto. bagno.

Un momento! Aspetta!	Che cosa c'è?

C'è	il tuo la tua	ragno. topo. serpente. tartaruga	Che schifo!	Non mi piacciono Odio	i ragni. i topi. i serpenti. le tartarughe.

Che fifone! Hai paura dei	ragni! topi! serpenti! tartarughe!	Romolo Gigio Silvestro Tommasina	è	simpaticissimo/a. bellissimo/a.

Che schifo! È	antipaticissimo/a. bruttissimo/a.	Perchè non compri un	cane? gatto? coniglio?

Perchè i	cani gatti conigli	sono	stupidi. antipatici. noiosi.	Questo Questa	ragno topo serpente tartaruga	è	il mio amico. la mia amica.

Il La	ragno topo serpente tartaruga	è	il tuo amico?! la tua amica?!	Allora, io no.

A lingua sciolta!

L'hit parade degli animali

Which are the most popular animals in your class? Select a classmate to interview so that you can contribute to the class survey. Your teacher will give you a survey sheet like the one you see here.

First, fill in your classmate's personal details at the top of the form. Then ask whether they like the animals pictured below. For each answer, check the appropriate column and then enter a score under ***Punti***.

Score the answers as follows:

Amo	5 punti
Mi piacciono	3 punti
Non mi piacciono	1 punti
Odio	0 punti

Nome ____________ **Classe** ____________

Età ____________

Quali animali domestici hai tu?

Qual è il tuo animale preferito?

	Amo	Mi piacciono	Non mi piacciono	Odio	*Punti*	*Classe*

Ti piacciono i cani?

Sì, molto. Amo i cani!

Benissimo! Cinque punti per i cani.

Capitolo 4

Studiamo la lingua!

1 I verbi -ere

So far you have been concentrating on **-are** verbs. In this chapter you meet some verbs from another group, the **-ere** verbs.

	parlare	**vendere** to sell
io	parlo	**vendo**
tu	parli	**vendi**
lui, lei	parla	**vende**
noi	parliamo	**vendiamo**
voi	parlate	**vendete**
loro	parlano	**vendono**

2 Andiamo!

Here is another important irregular verb, **andare**, for you to learn by heart.

	essere	avere	fare	**andare** to go
io	sono	ho	faccio	**vado**
tu	sei	hai	fai	**vai**
lui, lei	è	ha	fa	**va**
noi	siamo	abbiamo	facciamo	**andiamo**
voi	siete	avete	fate	**andate**
loro	sono	hanno	fanno	**vanno**

3 Ma dove andiamo?

The most common way of saying 'to go to...' in Italian is **andare a...**

Io vado a Roma.
I'm going to Rome.

Vai a scuola oggi?
Are you going to school today?

But if you mean 'to go to *someone's place*' you say **andare da...**

Noi andiamo da Antonella.
We're going to Antonella's place.

Andate dal veterinario?
Are you going to the vet's?

Andate dalla nonna?
Are you going to Grandma's?

Vanno dai Ferraro.
They're going to the Ferraros' place.

Singular	il	la	lo	l'
da	**dal**	**dalla**	**dallo**	**dall'**
Plural	i	gli	le	
da	**dai**	**dagli**	**dalle**	

4 Ho paura

To talk about being *afraid of* people or things in Italian you use the expression **avere paura di...**

Ho paura di Gigio.
I'm scared of Gigio.

Ho paura di Tommasina.
I'm scared of Tommasina.

Hai paura del topo?!
You're scared of the mouse?!

Hai paura della tartaruga?
You're scared of the tortoise?

Sì, ho paura dei topi.
Yes, I'm scared of mice.

Sì, ho paura delle tartarughe.
Yes, I'm scared of tortoises.

Singular	il	la	lo	l'
di	**del**	**della**	**dello**	**dell'**
Plural	i	gli	le	
di	**dei**	**degli**	**delle**	

seconda parte

Un giro di Roma con Antonio

Ci sono molti monumenti a Roma. Questo è il Colosseo[1]. Ha quasi duemila anni! È bello, no?

2

E qui siamo dentro il Colosseo. Molti gatti abitano qui. Vedete i turisti? Ci sono sempre molti turisti qui.

4

Dal Colosseo vediamo il Foro Romano[2], il centro di Roma antica.

Adesso andiamo in Piazza Venezia a vedere il monumento a Vittorio Emanuele[3].

Dove vai? Non ci sono gatti oggi.

Non ci credo!

5

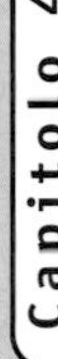

Vedete il grande monumento bianco in fondo? Adesso andiamo lì.
6
Adesso siamo in Piazza Venezia. Mi dispiace, il monumento a Vittorio Emanuele non è veramente antico, è moderno. Ha solo cento anni.
Ti piace? È bello, no?
Bello? È br
È una gran
torta bianc
7
TAXI
Il Foro Romano è dietro il monumento a Vittorio Emanuele.
8
E adesso siamo dentro il Foro Romano. Vedete il Colosseo in fondo? C'è anche una chiesa qui, ma non so come si chiama. Ci sono molte chiese a Roma.
N° 494373
SERIE H
N° 650196
SERIE E
REPUBBLICA ITALIANA
LIRE 6000
9

Questo è il Circo Massimo[4]. Vedete i cavalli, i carri, i centomila spettatori? Dietro il Circo Massimo c'è il Palatino[5]. I palazzi qui sono veramente antichi!

[1] **il Colosseo**	the Colosseum
[2] **il Foro Romano**	the Roman Forum
[3] **il monumento a Vittorio Emanuele**	the Victor Emmanuel monument
[4] **il Circo Massimo**	the Circus Maximus
[5] **il Palatino**	the Palatine Hill

Il piccolo giro di Roma antica è finito. Ma Roma è anche una città moderna. Forza, ragazzi, venite a Roma. Io sono sempre qui con il mio taxi!

Impariamo le parole!

il carro	chariot	**lo spettatore**	spectator	**interessante**	interesting
il centro	center	**dentro**	inside	**moderno**	modern
la chiesa	church	**dietro**	behind	**quasi**	almost
la città	town, city	**in fondo**	in the background	**solo**	only
il giro	tour			**venite!**	come!
il monumento	monument			**non ci credo**	I don't believe it
il palazzo	palace	**antico**	ancient		
la piazza	square	**bianco**	white	**non so**	I don't know

Il latino

Questi ragazzi abitano a Roma. Sono bellissimi, no? Sono romani moderni e, naturalmente, parlano italiano.

Vedete l'iscrizione in fondo? È in lingua latina. Ci sono molte iscrizioni in latino a Roma.

Il latino era la lingua degli antichi romani, ma oggi è una lingua morta. Molti ragazzi italiani studiano il latino a scuola.

Capitolo 4

Il corpo

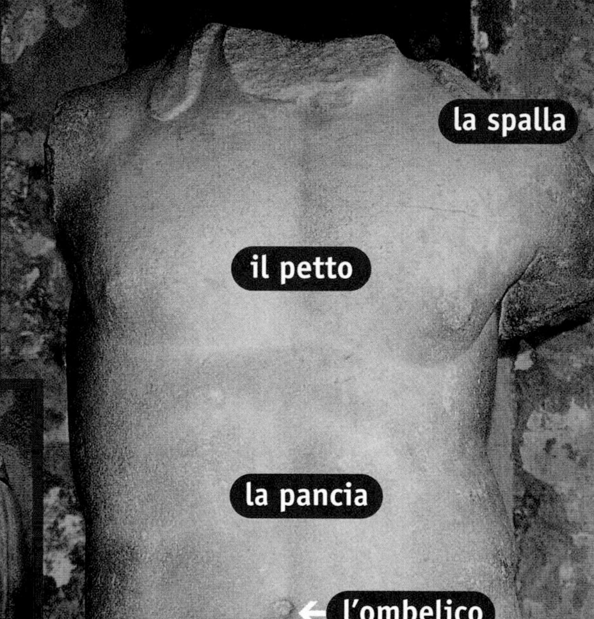

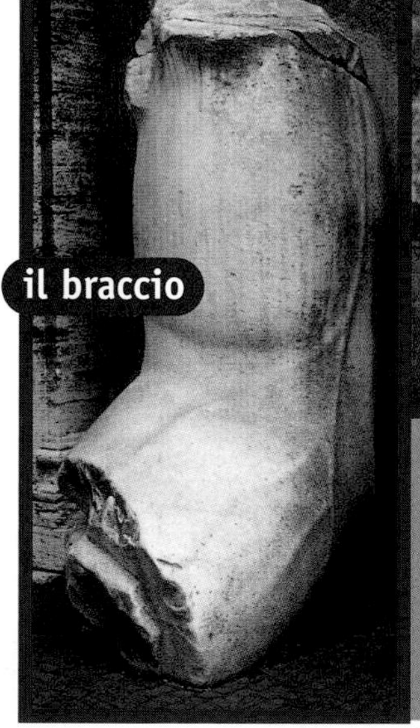

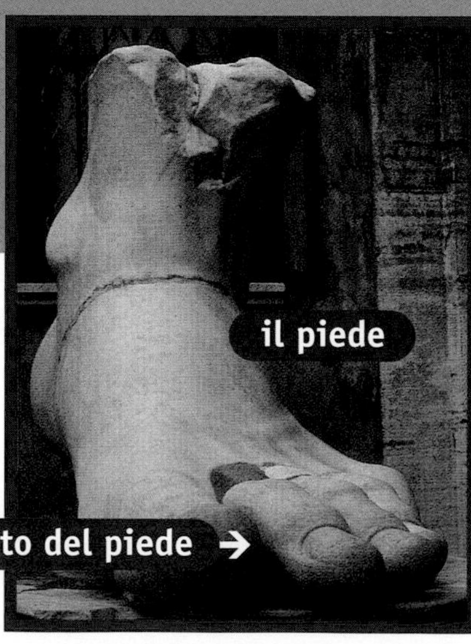

In poche parole 2

SALA D'ASPETTO

Come stai, **Francesco**?

Sto male. Mi fa male **la spalla**.

Che c'è, **Antonella**? Sei ammalat**a**?

No, ma mi fa male **la gamba**.

A tu per tu 2

Mamma, Papà,	non vado	a scuola dal nonno dalla nonna	oggi.	Non sto bene. Sono ammalato/a.

Ah,	poveretto/a. tesoro.	Che cosa	c'è? hai?

Mi fa male	la gola. la testa. questo dente.

Hai mal di	gola?! testa?! dente?!	Allora, perchè non vai subito dal	medico? dentista?

Ma no,	mamma. papà.	Non mi piace il	medico. dentista.

Non fare	il la	fifone! Hai paura del	medico?! dentista?!

Senti, Guarda,	mamma, papà,	sto	bene meglio	adesso.	La testa La gola Il dente	è guarito/a.

Che miracolo! Andiamo	a scuola, dal nonno, dalla nonna,	allora!

Impariamo le parole!

che miracolo!	what a miracle!	**guarito**	all better, cured	**la nonna**	grandmother, Grandma
il dente	tooth	**il medico**	doctor	**stare meglio**	to be better
il dentista	dentist	**il nonno**	grandfather, Grandpa		
la gola	throat				

In poche parole 3

6 A — Come si chiama **questa piazza**?

Non so. A Roma ci sono molt**e** **piazze**.

4 B — Quest**o** **palazzo** è bellissim**o**!

Andiamo, sono veramente stuf**o** di **palazzi**!

Studiamo la lingua!

5 Siete intelligentissimi!

To change an Italian adjective from a simple describing word to something with a really strong meaning, take off the final letter and replace it with:

-issimo	**-issimi**
-issima	**-issime**

Roma è una bellissima città.
Rome is a really beautiful city.

Gigio è simpaticissimo.
Gigio is really nice.

Intelligente?! Antonella è intelligentissima!
Smart?! Antonella is super-smart!

You can also use the **-issimo** ending with **bene** and **male**.

Sto benissimo. E tu?
I'm great. And you?

Malissimo!
Really bad!

6 C'è o ci sono?

To point out what *there is* around you, you often use the expression **c'è** (**ci** = 'there' + **è** = 'is').

C'è un ragno in cucina.
There's a spider in the kitchen.

A destra c'è il Colosseo.
To the right there is the Colosseum.

The plural of **c'è** is **ci sono.**

A Roma ci sono molte chiese.
In Rome there are lots of churches.

7 Molti molto!

Molti is a masculine plural adjective meaning 'many'. The feminine form is **molte.**

Ci sono molti monumenti a Roma.
There are many monuments in Rome.

A Roma ci sono molte chiese.
In Rome there are lots of churches.

8 Che c'è?

A common way to ask someone *what's wrong* is to say **Che (cosa) c'è?** You can also ask **Che cos'hai?**

For most things that are hurting, you reply **mi fa male...**

Mi fa male la spalla.
I've got a sore shoulder.

With **la gola**, **la testa** and **i denti**, you say **ho mal di...**

Ho mal di gola.
I've got a sore throat.

L'intervista

Interview a classmate and find out as much as you can about them. You will find plenty of ideas for topics to discuss and questions to ask on this page, but don't feel that you have to say certain things or follow a particular order.

Since you will be putting together a lot of the language you have been learning so far, you will find it helpful to prepare your interview in writing first.

Don't forget to use words that help you start off sentences or to change from one topic to another: **senti..., allora..., va bene..., benissimo...** Then there are expressions that are useful for reacting to what the other person says: **bravo!, uffa!, non ci credo!, mmm, molto interessante!**

Capitolo 4

Capitolo 5

prima parte

Non c'è niente da fare!

È domenica mattina. I Ferraro sono a casa. Mentre i ragazzi guardano *L'Uomo Ragno* alla televisione...

...i genitori leggono il giornale.

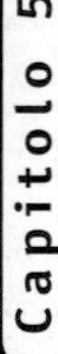
Capitolo 5

Il cinema? Va bene, che cosa vuoi vedere, Lucio? C'è *Il Re Leone*.
No, papà, i cartoni animati sono per bambini.
7
IL RE LEONE

MARIO e VITTORIO CECCHI GORI
presentano
KATHLEEN TURNER
quando Beverly sorride non c'é da stare tranquilli...
LA SIGNORA AMMAZZATUTTI
(SERIAL MOM)
con SAM WATERSTON e RICKI LAKE
Allora ragazzi, volete vedere *La Signora Ammazzatutti*?
No, Maura, è troppo violento.
Sì, mamma!
8

Io voglio vedere *Miracolo nella Trentaquattresima Strada*. È un film per tutti.
Ma no, è troppo sentimentale.
9
34TH ST
Aspettatevi un Miracolo a Natale
MIRACOLO NELLA 34ª STRADA

I Ferraro vanno al parco.
Vedono una ragazza che pattina...

...un uomo che disegna...

...e un ragazzo che suona la chitarra.

Capitolo 5

In centro, vedono un burattino che suona il pianoforte...

15

...e una donna che suona il violino.

È domenica sera e i Ferraro sono a casa. Mentre i ragazzi giocano a Twister...

...i genitori guardano Tom Cruise alla televisione.

Capitolo 5

Domande

1. Dove sono i Ferraro questa domenica mattina?
2. Che cosa fanno i ragazzi?
3. Che cosa fanno i genitori?
4. Perchè i ragazzi guardano la televisione?
5. Dove vuole andare Francesco?
6. Perchè non vuole leggere?
7. Che cosa vuole fare Lucio?
8. Che tipo di film è *Il Re Leone*?
9. Perchè Antonio non vuole vedere *La Signora Ammazzatutti*?
10. Perchè vuole vedere *Miracolo nella 34a Strada*?
11. Alla fine, che cosa fanno i Ferraro questa domenica mattina?
12. Dove vanno?
13. Che cosa fa la ragazza?
14. Che cosa fa l'uomo?
15. Che cosa suona il ragazzo?
16. Dove vedono il burattino?
17. Che cosa fa?
18. Perchè Antonio vuole andare alla sala karaoke?
19. Che cosa fanno i ragazzi dopo la passeggiata?
20. Perchè Maura ed Antonio guardano la televisione?

Impariamo le parole!

il burattino	puppet
il genitore	parent
la donna	woman
l'uomo	man
la canzone	song
la chitarra	guitar
il pianoforte	piano
il violino	violin
ascoltare	to listen (to)
cantare	to sing
suonare	to play (*an instrument*)
tornare	to return
la sala giochi	arcade
il videogioco	video game
il cinema	cinema, movie theater

il cartone animato	cartoon
sentimentale	soppy, sentimental
violento	violent
troppo	too
il giornale	newspaper
la rivista	magazine
leggere	to read
il parco	park
disegnare	to draw
fare una passeggiata	to go for a walk
pattinare	to skate
volere	to want
ottimo	great, excellent

che	who, that
mentre	while
alla fine	finally, in the end
che noia!	how boring!
domenica mattina	Sunday morning
in centro	in the city centre, downtown
non c'è niente da fare	there's nothing to do
preferito	preferred, favorite
qualcosa d'interessante	something interesting
sai cantare?	can you sing?

In poche parole 1

A Chi è **il ragazzo** che **suona la chitarra**?
È **Lucio, il fratello** di **Francesco.**

B Che cosa fa **Antonio**?
Canta una canzone. Lui canta sempre.

C Io voglio **leggere il giornale.**
Un momento! **Maura legge il giornale.**

In poche parole 2

A 1
Che noia! Non c'è niente da fare!
Non dire stupidaggini. Perchè non **leggi un libro**?

B 4
Ti piace **fare una passeggiata in città**?
Sì, ma non voglio **fare una passeggiata** adesso.

A tu per tu

Vuoi	andare al cinema? vedere un film?

Ottima idea! Va bene.	Che cosa	vuoi c'è da	vedere?

Io voglio vedere C'è	*La Signora Ammazzatutti.* *Il Re Leone.*

Ma no, non mi piacciono	i film violenti. i cartoni animati.

Andiamo a LUN**EUR**, allora!

Ottima Buona	idea!

LUN**EUR** – Ecco un'idea che piace a tutti.

seconda parte

Viva il calcio!

Per molti italiani il calcio è lo sport preferito. Tutti giocano a pallone in piazza: i ragazzi, i cani...

1

...ed anche le bambine.

2

Gli allenatori preparano i giocatori per la prossima partita.

3

È domenica mattina. Oggi i biancorossi giocano contro i viola.

4

Come tutti gli italiani, i romani amano il calcio. Roma è la città dei giallorossi.

5

La Lazio è l'altra squadra romana. I Laziali si chiamano i biancocelesti.

Questa domenica c'è il derby: la Roma contro la Lazio. I tifosi arrivano all'Olimpico, lo stadio di Roma.

Capitolo 5

I tifosi sono pronti per la partita. Cantano e gridano 'Forza Roma!' o 'Forza Lazio!'.

Domande

1 Come si chiama una persona che...

a prepara una squadra per una partita di calcio?

b gioca a calcio in una squadra?

c tifa per una squadra di calcio?

d tifa per la Roma?

2 Come si chiama...

a la squadra di Roma?

b l'altra squadra romana?

c lo stadio di Roma?

d la partita Roma–Lazio?

Capitolo 5

Impariamo le parole!

l'allenatore (*m*)	coach
altro	other
contro	against
il giocatore	player
il/la Laziale	Lazio supporter
la mattina	morning
il pallone	(soccer) ball
la partita	game, match
il/la Romanista	Rome supporter
la sciarpa	scarf
lo stadio	stadium
tifare per	to support
il tifoso	fan
arrivare	to arrive
gridare	to shout, yell
vincere	to win

I colori	
azzurro	blue
bianco	white
blu	dark blue
celeste	light blue
giallo	yellow
nero	black
rosso	red
verde	green
viola	purple

Altre squadre italiane

Città	Squadra	Colori
Roma	la Roma	giallo, rosso
Roma	la Lazio	bianco, celeste
Torino	la Juventus	bianco, nero
Milano	il Milan	rosso, nero
Milano	l'Inter	nero, azzurro
Cagliari	il Cagliari	rosso, blu
Firenze	la Fiorentina	viola
Genova	il Genoa	rosso, blu

In poche parole 3

A Che colori ha **il Milan**?

Rosso e nero. Si chiamano **i rossoneri**.

B Tifo per i **giallorossi**.

Sei di **Roma**, allora?

A lingua sciolta!

Capitolo 5

1 La mia squadra preferita

Porta in classe una fotografia della tua squadra preferita. Parla della squadra, dell'allenatore e del tuo giocatore preferito.

bravo | forte | veloce | severo | simpatico | bello | ottimo

terza parte

Lo Stadio dei Marmi

Questo è Lorenzo. Lui è di Torino. Gioca a calcio per la Juventus.

Chi vuole giocare a pallone?

3

Giovanni fa il lancio del peso.

Questo è Gianpaolo.

...esti ragazzi fanno atletica allo Stadio dei Marmi.

Anche i genitori sono in forma. Mentre i ragazzi fanno atletica, loro fanno aerobica.

E alla fine, questo è Augusto. Augusto è un vero romano. Non è allo stadio ma in piscina. Lui fa il nuoto. Nuota molto male perchè è troppo pesante.

11

Domande

1 Dov'è lo Stadio dei Marmi?
2 Perchè si chiama lo Stadio dei Marmi?
3 Come si chiama lo Juventino?
4 Com'è il peso che lancia Giovanni?
5 Perchè Angelo non vuole boxare con Valentino?
6 Che cosa fanno i genitori mentre i ragazzi fanno atletica?
7 Dov'è Augusto?
8 Come nuota Augusto? Perchè?

In poche parole 4

Di dov'è **Luigi**?
È di **Arezzo**.

Che cosa fa **Lorenzo**?
Lui **gioca a calcio**.

Impariamo le parole!

l'aerobica	aerobics	**il guanto**	glove	**la piscina**	swimming pool
benvenuto	welcome	**il lancio del peso**	shot put	**più di**	more than
boxare	to box	**il marmo**	marble	**salve!**	greetings!
fare il pugilato	to box	**nuotare**	to swim	**senza**	without
fare il nuoto	to go swimming			**in forma**	in shape, fit

Studiamo la lingua!

1 Di dove sei?

These sentences show you how to talk about where people are from.

Di dove sei?
Where are you from?

Sono di Arezzo.
I'm from Arezzo.

È di Genova ma adesso abita qui a Roma.
He's from Genoa but now he lives here in Rome.

2 Che cosa vuoi fare?

To talk about what you or others want to do, use the verb **volere**.

	volere
	to want
io	**voglio**
tu	**vuoi**
lui, lei	**vuole**
noi	**vogliamo**
voi	**volete**
loro	**vogliono**

Voglio andare al cinema.
I want to go to the movies.

Che cosa vuoi fare?
What do you want to do?

Antonio vuole fare una passeggiata.
Antonio wants to go for a walk.

3 Che cosa ti piace fare?

To talk about what you or others like to do, use **mi piace** and **ti piace** with verbs.

Ti piace giocare al calcio?
Do you like playing soccer?

Mi piace disegnare.
I like drawing.

4 All'italiana!

Like **di** and **da**, **a** combines with the definite article (the word for 'the') to form one word.

I Ferraro vanno al parco.
The Ferraros go to the park.

Francesco vuole andare alla sala giochi.
Francesco wants to go to the arcade.

C'è un'ottima partita allo stadio.
There's an excellent game at the stadium.

I tifosi arrivano all'Olimpico.
The fans arrive at the Olympic (stadium).

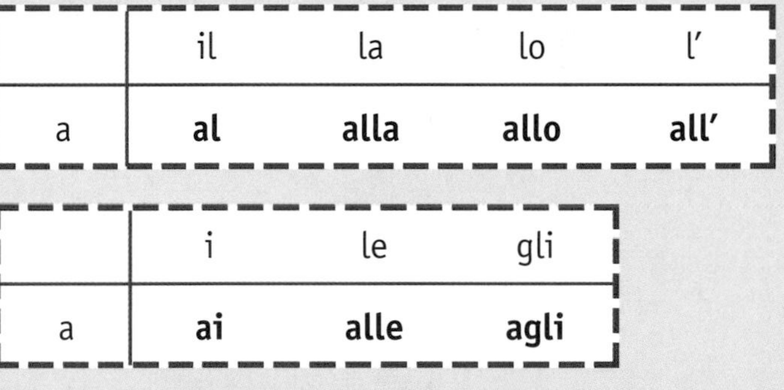

	il	la	lo	l'
a	**al**	**alla**	**allo**	**all'**

	i	le	gli
a	**ai**	**alle**	**agli**

5 Un ragazzo che pattina

These sentences show you how to talk about someone who is doing something.

C'è una ragazza che pattina. Chi è?
There is a girl skating (who skates). Who is it?

In centro vedono una donna che suona il violino.
In the city center they see a woman playing (who plays) the violin.

Videogiochi

SUPER NINTENDO 16 BIT

DONKEY KONG COUNTRY

FIFA SOCCER

GiG ELECTRONICS

Art. 63768
FIFA SOCCER

Il mitico gioco di calcio internazionale. Tu sei l'allenatore, tu sei il capitano, tu sei la squadra. Vuoi vincere il campionato del mondo? Forza!

AXELAY

Art. 63785
AXELAY
…ioco divertente dal … della fantascienza. Tu sei capitano di … nave in una guerra … galattica. Tu non hai … ei terribili mostri da … mondi. Sei livelli di … ione e di avventura!

1 GIOCATORE

I PUFFI

Art. 63811
I PUFFI
Che cos'è un Puffo? È un piccolo uomo blu, simpatico, amico di tutti. Chi è Gargamella? È il terribile mostro che vuole conquistare il mondo dei Puffi. Presto, vieni ad aiutare i Puffi! Tre livelli e quattro livelli bonus.

1 GIOCATORE

BART'S NIGHTMARE

Art. 63742
BART'S NIGHTMARE
Aiuto! Bart Simpson abita in un mondo terribile. Ci sono cento mostri neri che vogliono mangiare ragazzi come Bart. Tu vuoi essere un eroe? Vieni ad aiutare il tuo amico! Un gioco di otto livelli divertenti.

MATT GROENING

- Ti piace giocare con i videogiochi?
- Hai uno di questi giochi?
- Ti piace uno di questi giochi?
- Vai qualche volta alla sala giochi?
- Ti piace la fantascienza?
- Hai un film o un libro di fantascienza preferito?
- Ti piacciono i Simpsons?
- Ti piacciono i Puffi?

Impariamo le parole!

l'astronave (*f*)	spaceship	**la fantascienza**	science fiction	**il mondo**	world
l'avventura	adventure	**la giungla**	jungle	**il mostro**	monster
il campionato	championship	**la guerra**	war	**via!**	go!
conquistare	to conquer	**il livello**	level		
l'eroe (*m*)	hero	**mitico**	fabulous		

A lingua sciolta!

2 TEST: Che tipo di persona sei?

What type of person are you? Your classmate will ask you what you like doing most and will record whether you answer *a, b, c* or *d*. If you give three or more answers with the same letter, then that is the type you belong to. If you give a total mixture of answers, then you are probably very well balanced!

test

Che cosa ti piace fare di più?

1
- a ascoltare un CD
- b guardare la televisione
- c fare atletica
- d fare una passeggiata con amici

2
- a suonare uno strumento musicale
- b giocare con un videogioco
- c nuotare in piscina
- d guardare i negozi in centro

3
- a disegnare
- b giocare con l'internet
- c giocare a pallone in piazza
- d mangiare un gelato al parco

4
- a cantare alla sala karaoke
- b andare alla sala giochi
- c andare in bicicletta
- d andare da amici

5
- a fare fotografie
- b guardare un video
- c pattinare
- d andare al cinema

- **a** *Sei una persona artistica e creativa.*
- **b** *Sei una persona moderna, computerizzata e teledipendente.*
- **c** *Sei una persona sportiva e in forma.*
- **d** *Sei una persona simpatica e hai molti amici.*

Capitolo 5

prima parte

In giro a Roma

Ci sono molti mezzi di trasporto a Roma. I romani vanno in giro con i pattini, con la macchina, con l'autobus...

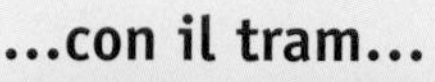

...con il tram...

...in motorino...

...in bicicletta...

...in carrozza...

...a cavallo...

...a piedi...

...e, naturalmente, in taxi.

Capitolo 6

Impariamo le parole!

il mezzo di trasporto	means of transportation
l'autobus (*m*)	bus
la bicicletta	bicycle, bike
la carrozza	carriage
il casco	helmet
la macchina	car
il motorino	motor scooter
il parcheggio	parking
i pattini	skates
il treno	train

avere fretta	to be in a hurry
parcheggiare	to park
portare	to wear
prendere	to take, catch, pick up
in giro	around
il capo	boss
vietato	forbidden, not allowed

In poche parole 1

Roberto

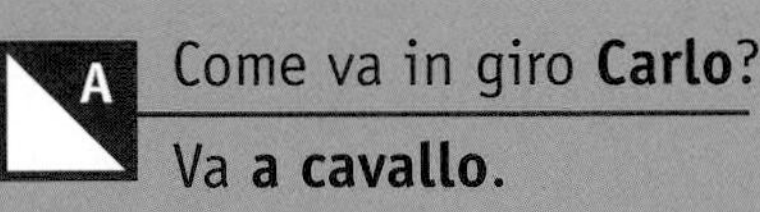

A

Come va in giro **Carlo**?

Va **a cavallo**.

B

Puoi andare con **Francesca**, se vuoi.

No, non mi piace andare **in motorino**.

o

Sì, mi piace andare **in motorino**.

A tu per tu 1

Devo andare	a casa. da Renata. in città.	Posso prendere	l'autobus il tram	da qui?

Mi dispiace, non ci sono	autobus. tram.	Puoi prendere	la mia bicicletta, il mio motorino,	se vuoi.

No, grazie. Non mi piacciono	le biciclette. i motorini.	Posso	andare a piedi. prendere un taxi.

Come vuoi.

A Roma, il parcheggio è sempre un problema.

C'è anche il problema del parcheggio per i cani. Non possono entrare nei negozi, devono aspettare fuori.

seconda parte

Antonio ha fretta

Antonio deve prendere il cliente alla Fontana di Trevi ma è bloccato in Piazza Venezia. C'è troppo traffico.

Non c'è un semaforo in Piazza Venezia, c'è un vigile. Ha un lavoro molto difficile perchè c'è sempre molto traffico in questa piazza.

Antonio arriva in Piazza Bologna ma non può passare. C'è un incidente.

Anche i vigili del fuoco hanno un lavoro difficile.

Poi la macchina di Antonio si guasta. Perde sempre olio.

Antonio deve mettere olio nel motore.

Perchè?
Perchè?
Perchè?

TAXI

6

Finalmente, Antonio arriva alla Fontana di Trevi.

Capitolo 6

Vede molti turisti ma il cliente non c'è.

Accidenti! Il cliente di Antonio non può aspettare. Prende un altro taxi.

Impariamo le parole!

l'incidente (*m*)	accident	**mettere**	to put
il lavoro	job, work	**passare**	to pass, get past
il motore	motor	**perdere**	to lose
l'olio	oil		
il semaforo	traffic light	**accidenti!**	darn!
la stazione	station	**è bloccato**	there's a traffic jam
il traffico	traffic	**poi**	then
il vigile	policeman	**si guasta**	breaks down
il vigile del fuoco	fireman	**a sinistra**	to the left
		a destra	to the right
girare	to turn	**diritto**	straight ahead

Perchè? Perchè? Perchè?

1 **...ha fretta Antonio?**
2 **...non può andare avanti?**
3 **...c'è un vigile in Piazza Venezia?**
4 **...la persona in motorino non deve girare a sinistra?**
5 **...Antonio non può andare avanti in Piazza Venezia?**
6 **...non può passare in Piazza Bologna?**
7 **...sono i vigili del fuoco nella piazza?**
8 **...si guasta la macchina di Antonio?**
9 **...non vede il cliente alla Fontana di Trevi?**
10 **...il cliente non può aspettare?**

In poche parole 2

A In Piazza Venezia

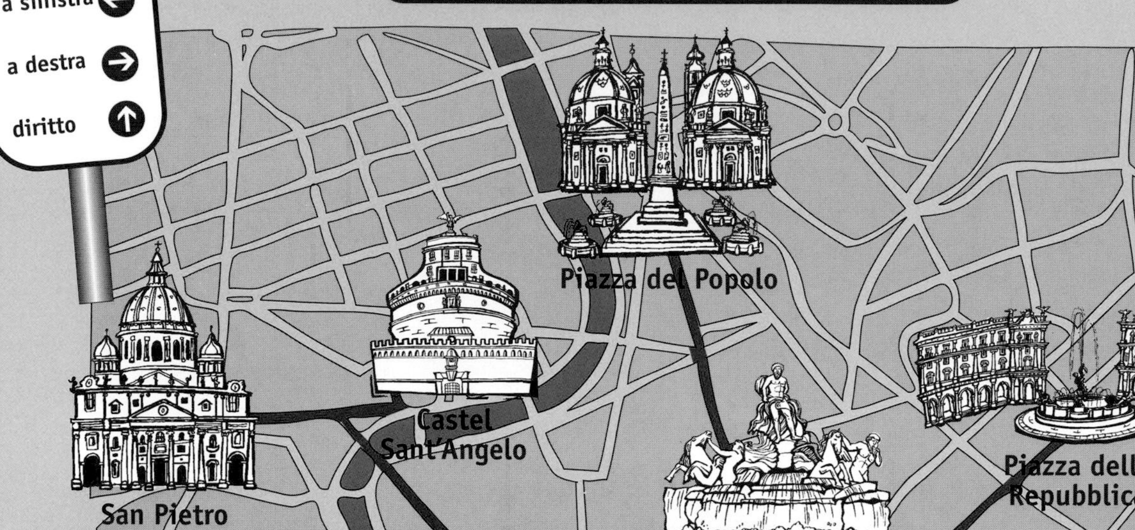

A Voglio andare **alla Piazza del Popolo.**

Per **la Piazza del Popolo**, devi andare **diritto.**

B In Piazza Venezia

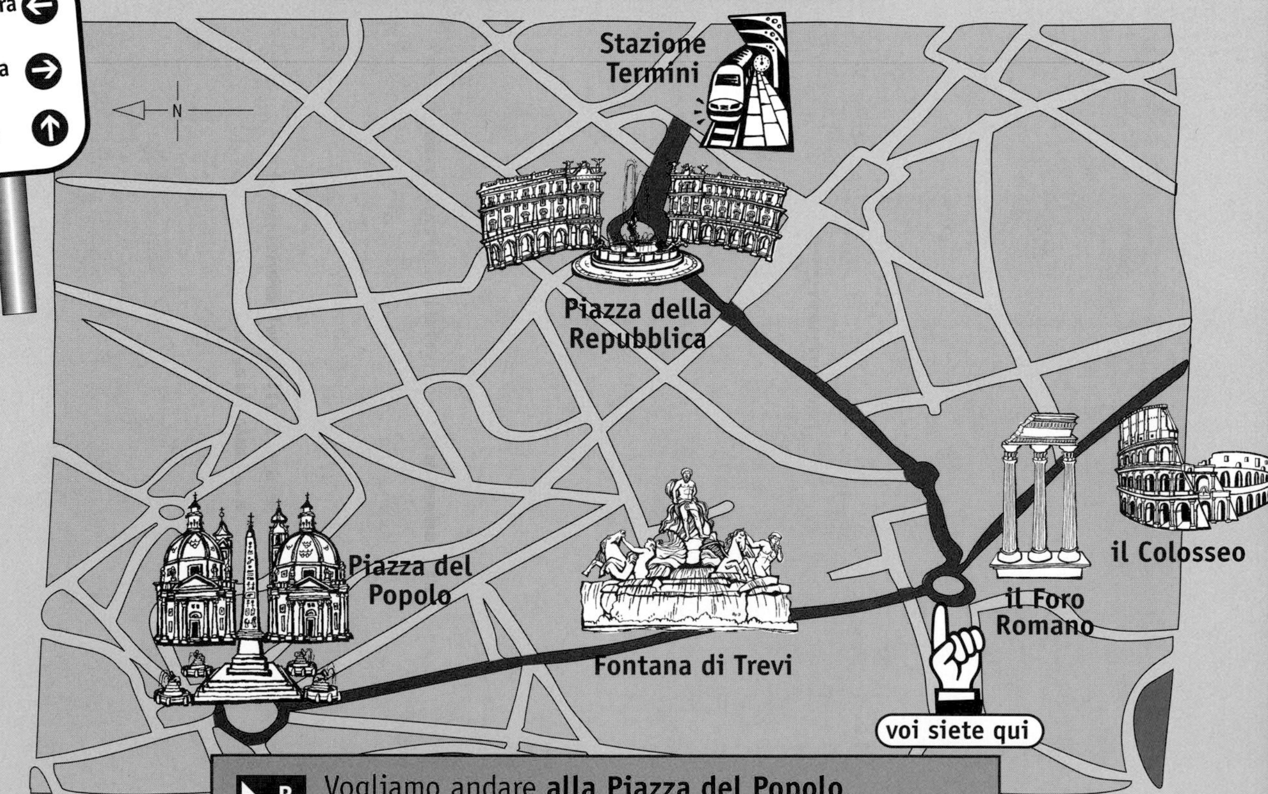

B Vogliamo andare **alla Piazza del Popolo.**

Per **la Piazza del Popolo**, dovete **girare a sinistra.**

Buongiorno. Mi chiamo Gustavo. Sono una guardia svizzera. La mia uniforme è bella, no?

terza parte

Guardiamo il Vaticano

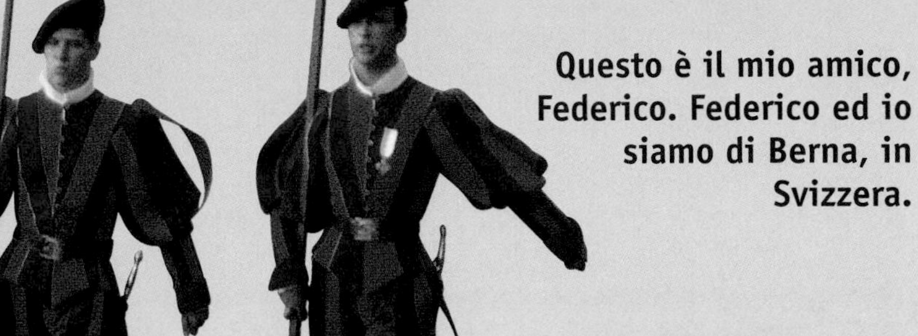

Questo è il mio amico, Federico. Federico ed io siamo di Berna, in Svizzera.

Adesso abitiamo nel Vaticano. La Città del Vaticano è a Roma.

Questa è la basilica di San Pietro. Una basilica è una grande chiesa. La basilica di San Pietro è grandissima. È vecchia, ma è molto bella, no?

Non posso lavorare adesso. Ho fame.

A destra della basilica c'è la famosa Cappella Sistina. Fuori non è un gran che, ma dentro è fantastica. È vietato parlare nella cappella.

Si può salire nella cupola di San Pietro. La veduta è fantastica.

Questi frati vogliono entrare nella basilica ma non possono.

Anche il Papa abita nel Vaticano. Ha un appartamento in questo palazzo.

C'è una grandissima folla in Piazza San Pietro. Tutti vogliono vedere il Papa. C'è anche un grande albero, perchè è Natale.

Anche queste suore vogliono vedere il Papa ma sono un po' in ritardo.

Ecco il Papa adesso. È molto intelligente. Parla più di dieci lingue.

Mi piace il mio lavoro, è molto importante. Ma per oggi è finito.

Domande

1 Che lavoro fa Gustavo?
2 Di dov'è?
3 Come si chiama l'amico di Gustavo?
4 Dove abitano Gustavo e Federico adesso?
5 Dov'è la Città del Vaticano?
6 Come si chiama la basilica nel Vaticano?
7 Com'è la veduta dalla cupola?
8 Perchè il frate a sinistra non entra nella basilica?
9 Com'è la folla in Piazza San Pietro?
10 Che cosa vogliono fare le suore?
11 Com'è il Papa?
12 Com'è il lavoro di Gustavo?

Impariamo le parole!

l'albero	tree	**il Papa**	Pope	**ridicolo**	ridiculous
la cappella	chapel	**il sandalo**	sandal	**svizzero**	Swiss
la cupola	dome	**la suora**	sister, nun	**vecchio**	old
la folla	crowd	**la Svizzera**	Switzerland	**salire**	to go up, climb
il frate	brother, monk	**l'uniforme** (*f*)	uniform		
la guardia	guard	**la veduta**	view	**non è un gran che**	it's nothing special
la lingua	language	**avere fame**	to be hungry		
il Natale	Christmas	**famoso**	famous	**tocca a me**	it's my turn

A tu per tu ②

Ti piace	Gustavo?
	l'uniforme delle Guardie Svizzere?
	il Vaticano?
	la basilica di San Pietro?
	il cavallo?
	la Cappella Sistina?
	la veduta dalla cupola?
	Castel Sant'Angelo?
	l'appartamento del Papa?
	Piazza San Pietro?
	lo zaino del frate?

Sì, mi piace. No, non mi piace.	È	bello/a. simpatico/a. brutto/a. ridicolo/a. vecchio/a.

Boh, non è un gran che.

A tu per tu ③

Si può	giocare a calcio in Piazza San Pietro?
	pattinare nella basilica?
	entrare nell'appartamento del Papa?
	parlare nella Cappella Sistina?
	entrare in San Pietro in sandali?
	prendere una carrozza in Piazza San Pietro?
	salire nella cupola di San Pietro?
	vedere Castel Sant'Angelo dalla cupola?
	vedere il Tevere dalla cupola?
	vedere il Papa in Piazza San Pietro?
	entrare in Piazza San Pietro in motorino?
	parcheggiare in Piazza San Pietro?

Sì, come no?
No, non si può. È vietato.

Studiamo la lingua!

1 È il tuo dovere!

To talk about what you or others have to do, use the verb **dovere**.

	dovere
	to have to
io	**devo**
tu	**devi**
lui, lei	**deve**
noi	**dobbiamo**
voi	**dovete**
loro	**devono**

Devo andare al lavoro.
I have to go to work.

Deve mettere olio nel motore.
He has to put oil in the motor.

I cani devono aspettare fuori.
Dogs have to wait outside.

2 Hai il potere!

To talk about what you or others can do, use the verb **potere**.

	potere
	to be able
io	**posso**
tu	**puoi**
lui, lei	**può**
noi	**possiamo**
voi	**potete**
loro	**possono**

Posso girare a sinistra qui?
Can I turn left here?

Antonio non può passare.
Antonio can't get past.

I cani non possono entrare nei negozi.
Dogs can't go into shops.

To talk about what can or can't be done, use the expression **si può**.

Non si può parlare nella Cappella Sistina.
You're not allowed to talk in the Sistine Chapel.

Si può prendere un autobus qui?
Can you catch a bus here?

3 Nella bella cappella

You have already seen that **a**, **da**, and **di** combine with the definite article to form one word.
A similar thing happens with **in**.

Antonio mette olio nel motore.
Antonio puts oil in the motor.

C'è un incidente nella piazza.
There's an accident in the square.

This table should help you get the picture so far.

	a	**da**	**di**	**in**
il	al	dal	del	**nel**
la	alla	dalla	della	**nella**
l'	all'	dall'	dell'	**nell'**
lo	allo	dallo	dello	**nello**
i	ai	dai	dei	**nei**
le	alle	dalle	delle	**nelle**
gli	agli	dagli	degli	**negli**

④ È così facile!

You have seen and heard a number of different words that you can use in front of adjectives in Italian. These sentences will remind you.

Il vigile ha un lavoro molto difficile.
The policeman has a *very* difficult job.

Papà è un po' pigro.
Dad's *a bit* lazy.

Il film è troppo violento.
The film is *too* violent.

Sono così imbarazzato.
I'm *so* embarrassed.

⑤ I verbi -ire

So far you have been dealing with **-are** and **-ere** verbs. In this chapter you have met two verbs from the **-ire** group.

Si può salire nella cupola di San Pietro.
You can go up the dome of St Peter's.

A che ora partite per Londra?
What time do you leave for London?

This table shows you how the **-ire** verbs differ from the **-are** and **-ere** verbs.

	guardare	**mettere**	**partire**
	to look at	to put	to leave
io	guardo	metto	**parto**
tu	guardi	metti	**parti**
lui, lei	guarda	mette	**parte**
noi	guardiamo	mettiamo	**partiamo**
voi	guardate	mettete	**partite**
loro	guardano	mettono	**partono**

Salire ('to go up, climb') has two irregular parts, (**io**) **salgo** and (**loro**) **salgono**. The rest of the **-ire** verbs are regular.

⑥ Dove vai?

What word you use for 'to' in Italian depends on where you're going.

If you are going to a country use **in**, but if you're going to a city, use **a**.

Vado in Francia per le vacanze.
I'm going to France for the holidays.

Che bello! Vai a Parigi?
Great! Are you going to Paris?

If you're going into town or one of the main places around town use **in**, but if you're going to your school, your house or your bed use **a**.

Vieni con noi in città. Andiamo in piscina.
Come to town with us. We're going to the pool.

Non posso. Devo andare a scuola e poi torno a casa vado a letto.
I can't. I have to go to school and then I'm coming back home and going home to bed.

If you're going to someone's place, use **da**.

Vado da Antonella e poi andiamo dal veterinario.
I'm going to Antonella's and then we're going to the vet.

When you are leaving for somewhere or taking some means of transportation somewhere, the word you want is **per**.

Partiamo per la Grecia adesso.
We're leaving for Greece now.

Prendiamo il prossimo treno per Atene.
We're catching the next train for Athens.

quarta parte

Guardie in vacanze

È Natale. Gustavo e Federico vogliono tornare in Svizzera per le vacanze.

Capitolo 6

Finalmente Federico e Gustavo arrivano alla Stazione Termini.

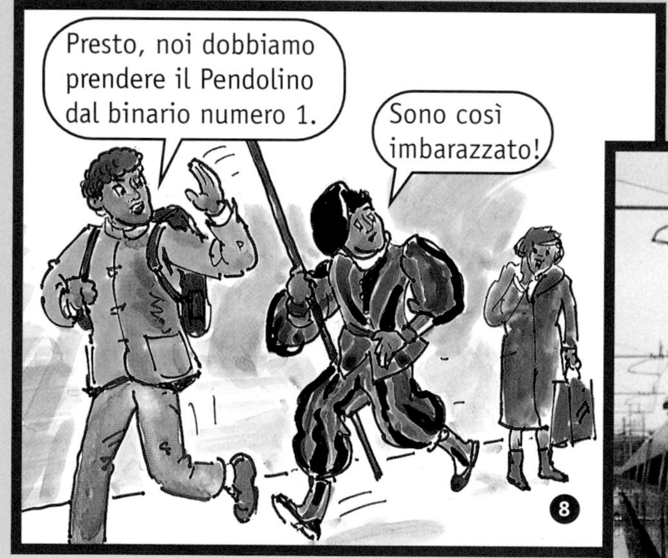

Presto, noi dobbiamo prendere il Pendolino dal binario numero 1.

Sono così imbarazzato!

8

Il Pendolino è magnifico. È molto moderno e molto veloce.

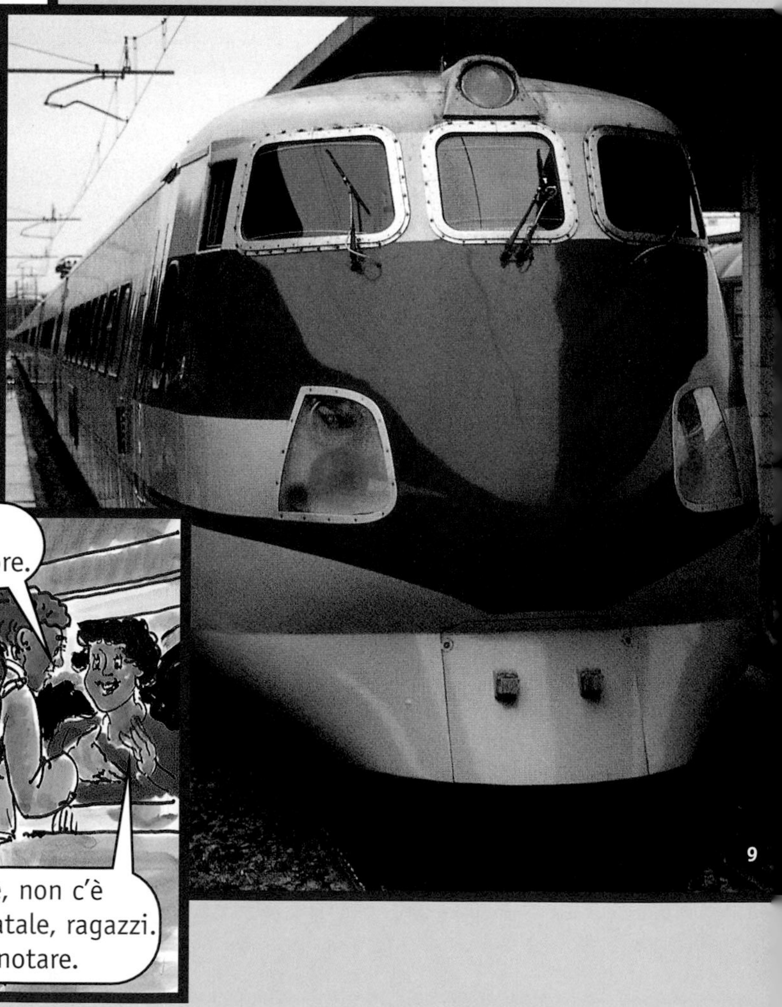

9

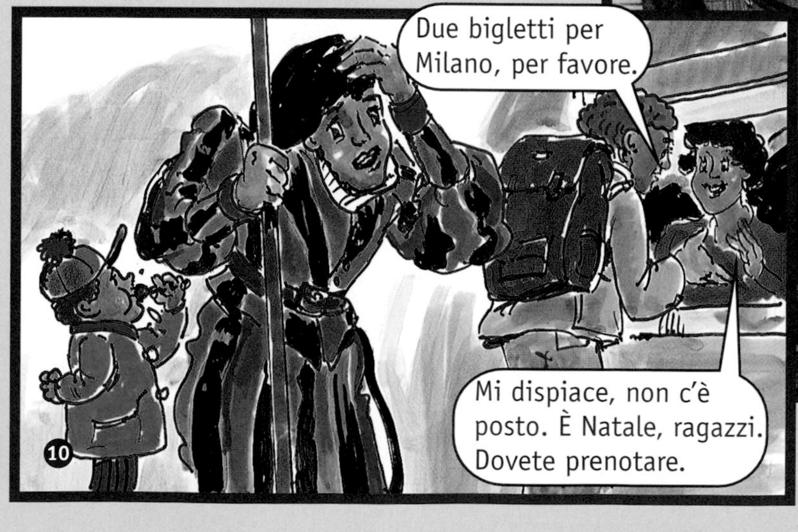

Due biglietti per Milano, per favore.

Mi dispiace, non c'è posto. È Natale, ragazzi. Dovete prenotare.

10

Accidenti! Come facciamo adesso?
Ho un'idea. Prendiamo un treno per Fiumicino!
11
Ma no, io voglio andare a Berna. È Natale.
12

Cretino! L'aeroporto è a Fiumicino. Possiamo prendere un aereo per la Svizzera.
FIUMICINO
13

PARTENZE
DESTINAZIONE ORA BIN
FIUMICINO AEROP. 7.00 22
FIUMICINO AEROP. 7.30 22
FIUMICINO AEROP. 8.10 19
FIUMICINO AEROP. 9.15 22
FIUMICINO AEROP. 10.15 22
FIUMICINO AEROP. 11.15 22
FIUMICINO AEROP. 12.15 22
FIUMICINO AEROP. 13.15 22
FIUMICINO AEROP. 14.15 22
FIUMICINO AEROP. 15.15 22
FIUMICINO AEROP. 15.35 21
FIUMICINO AEROP. 16.15 22
FIUMICINO AEROP. 17.15 22
FIUMICINO AEROP. 17.35 21
CONVALIDA VALIDATION
FS
DIREZIONE REGIONALE TRASPORTO LOCALE LAZIO
BIGLIETTO VALIDO PER UNA CORSA
TICKET VALID FOR ONE TRIP
L. 7.000
DA/FROM ROMA (Area Metropolitana FS) (FS Metropolitan Railways)
A/TO FIUMICINO AEROPORTO FIUMICINO AIRPORT
O VICEVERSA OR VICE VERSA
scade dopo 90 minuti dalla convalida
expires 90 minutes after validation
I 014986
14

Sono le dodici e cinque. Possiamo prendere un treno alle dodici e un quarto dal binario 22.
15

Capitolo 6

Impariamo le parole!

l'aereo	plane
l'aeroporto	airport
il biglietto	ticket
il binario	platform
il cretino	idiot
l'idea	idea
il posto	place, seat
il tempo	time
la vacanza	vacation

alle dodici	at twelve o'clock
imbarazzato	embarrassed
avere sete	to be thirsty
partire	to leave
perdere	to miss
prenotare	to book
viaggiare	to travel

Domande

1 **Dove vanno Federico e Gustavo a Natale?**
2 **Perchè non possono prendere la carrozza per la stazione?**
3 **Come vanno alla stazione?**
4 **Perchè è così imbarazzato Gustavo?**
5 **Come si chiama la grande stazione di Roma?**
6 **Da che binario parte il Pendolino?**
7 **Com'è il Pendolino?**
8 **Perchè non c'è posto nel Pendolino?**
9 **Dov'è l'aeroporto di Roma?**
10 **A che ora e da che binario parte il prossimo treno per Fiumicino?**
11 **Sono le tre. A che ora parte il prossimo treno?**
12 **Da che binario?**

A lingua sciolta!

La dolce vita

Who in your class has the easiest life? Interview, say, four of your classmates and ask them what they are allowed to do and what they have to do at home. The higher the score, the easier the life!

Now, compare your survey results with those of others in your class by reporting on the person in your group who has the easiest life.

Capitolo 6

In poche parole 3

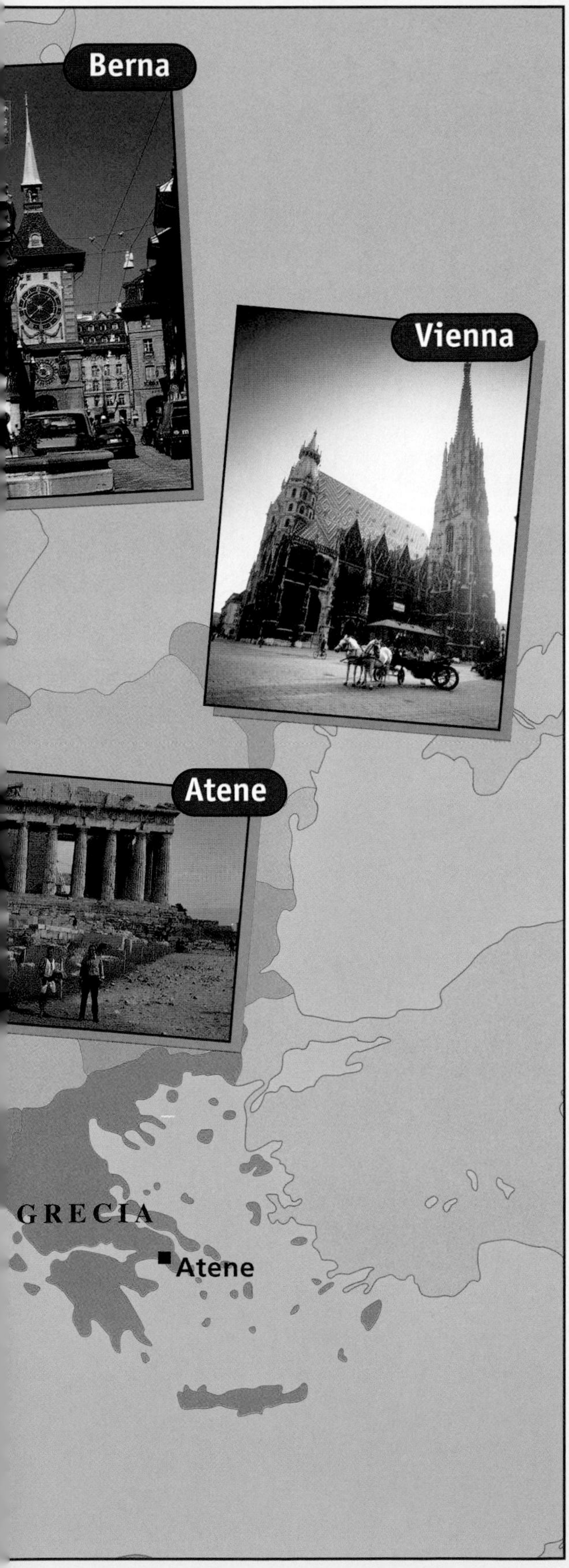
Berna
Vienna
Atene
GRECIA
Atene

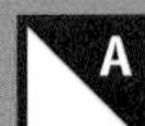

A Vado a **Madrid** per Natale.
Il Natale in **Spagna**! Che bello!

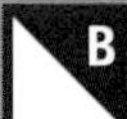

B Voglio andare in **Francia** per le vacanze.
Puoi prendere un aereo per **Parigi**.

Parigi

Berlino
EINHEIT

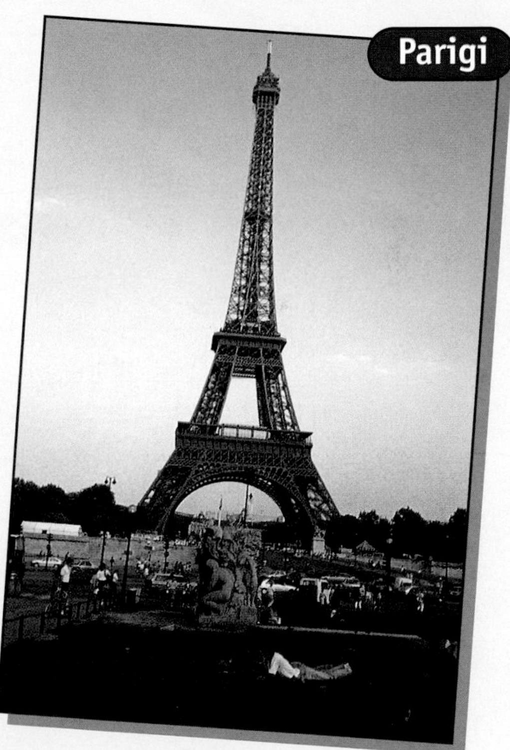

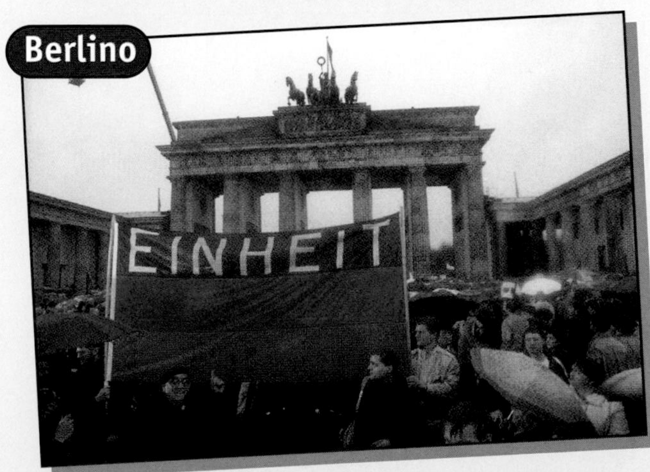

In poche parole 4

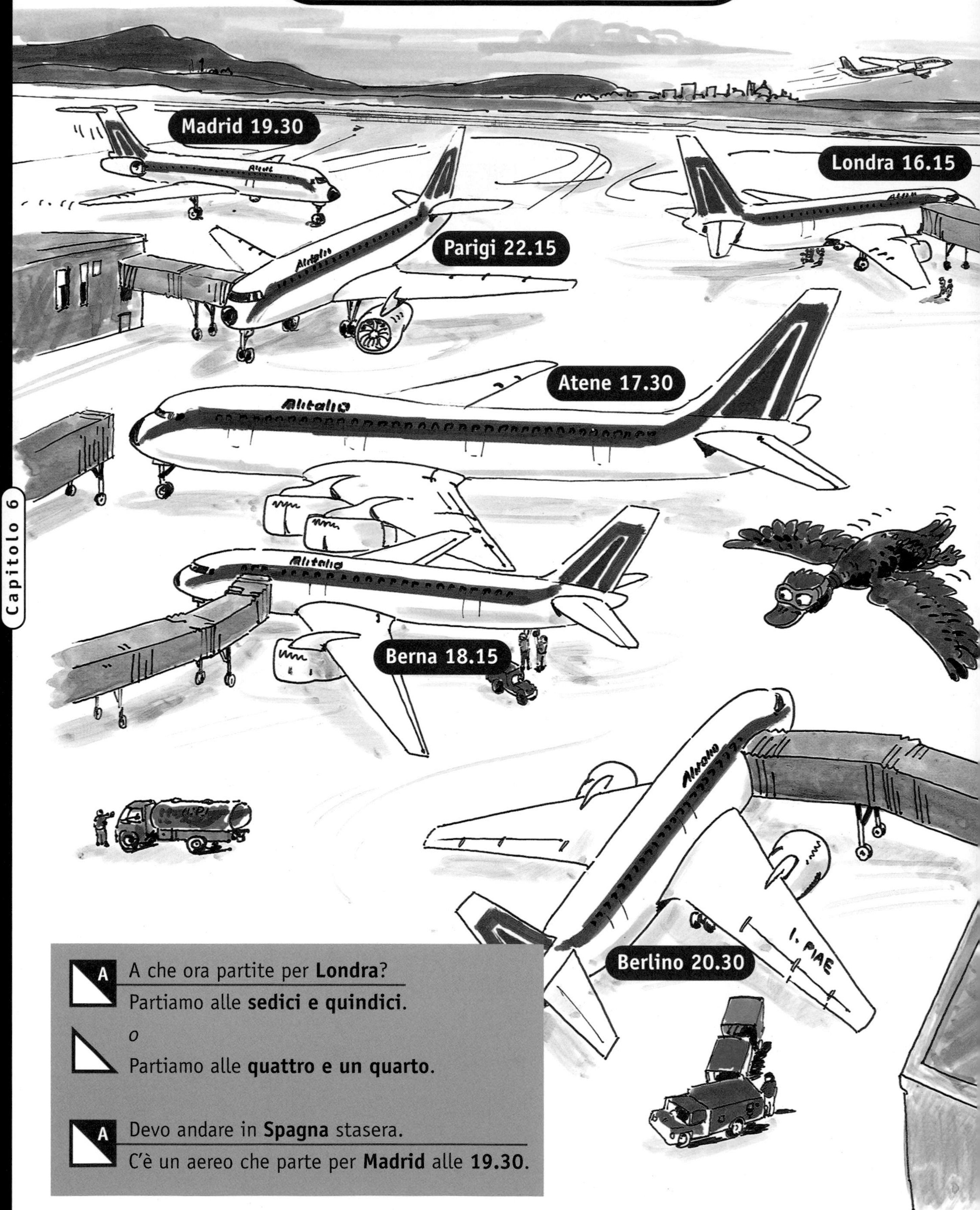

A che ora partite per **Londra**?
Partiamo alle **sedici e quindici**.
o
Partiamo alle **quattro e un quarto**.

Devo andare in **Spagna** stasera.
C'è un aereo che parte per **Madrid** alle **19.30**.

Capitolo 7

prima parte

Maura fa la spesa

Non mi piace fare la spesa, ma mi piace andare in giro in motorino.

2

Prima, devo ritirare dei soldi. C'è una banca qui vicino. Ah, eccola!

Devo comprare della carne. Ah no, la macelleria è chiusa!

Accidenti! Anche il fruttivendolo è chiuso. Fa niente, vado al mercato.

Capitolo 7

Qualche volta vado al supermercato, ma preferisco il mercato.

6

Ho bisogno di un po' di zucca. Due chili, per favore!

7

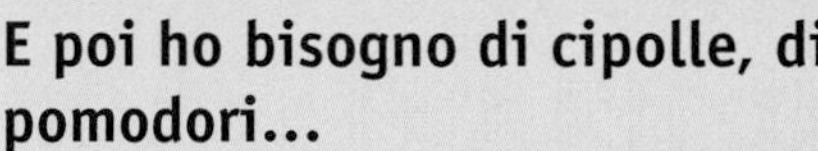

E poi ho bisogno di cipolle, di pomodori...

8

...e di peperoni. Caspita! Anche i peperoni sono romanisti.

9

Ah, il macellaio è aperto qui. Meno male!

10

Mi piace Sergio, il macellaio. Secondo me, rassomiglia a Tom Cruise.

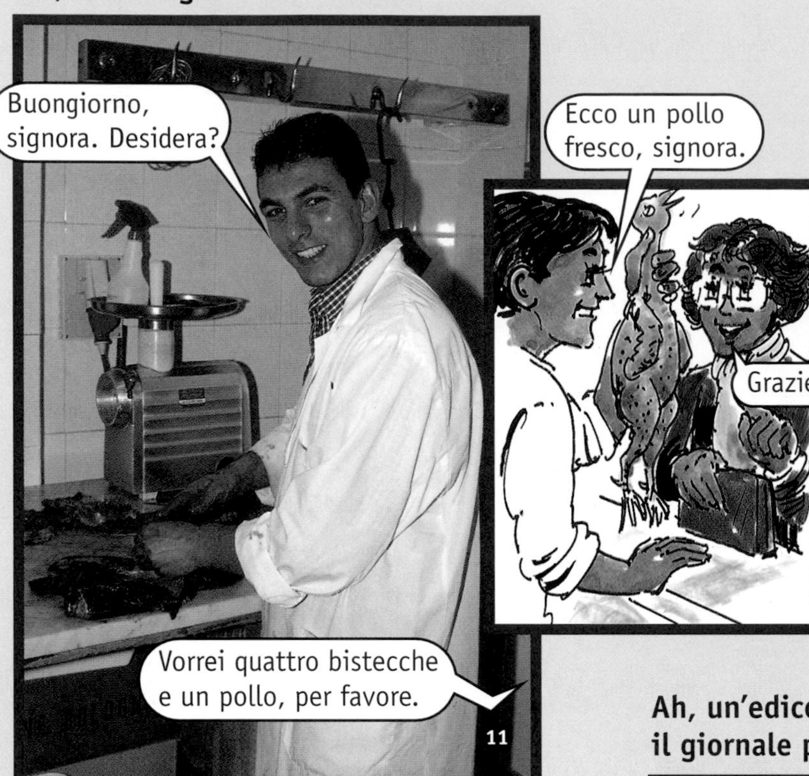

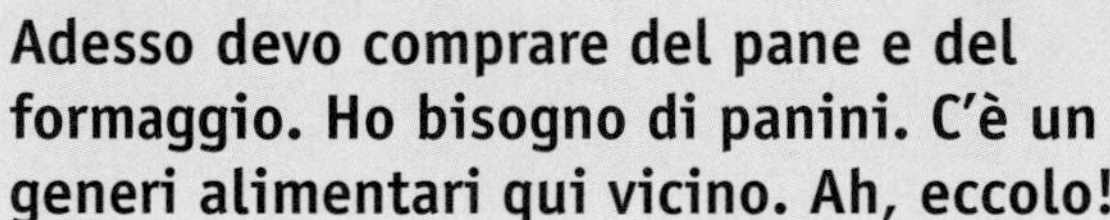

Adesso devo comprare del pane e del formaggio. Ho bisogno di panini. C'è un generi alimentari qui vicino. Ah, eccolo!

Ah, un'edicola! Posso comprare una rivista, il giornale per Antonio...

...e dei fumetti per i ragazzi. Francesco legge sempre *Dylan Dog*. Lucio preferisce *Braccio di Ferro*

Ah, un bar. Prendo un cappuccino e una pasta.

In poche parole 1

Cerco **un fruttivendolo**.

C'è **un fruttivendolo** qui vicino. Ah, ecco**lo**.

Impariamo le parole!

la banca	bank
i soldi	money
ritirare dei soldi	withdraw money
il mercato	market
il supermercato	supermarket
aperto	open
chiuso	closed
la macelleria	butcher shop
il macellaio	butcher
la carne	meat
la bistecca	steak
il pollo	chicken
il fruttivendolo	produce vendor
la frutta	fruit
la cipolla	onion
il peperone	pepper
la zucca	pumpkin
il chilo	kilo
il generi alimentari	food store
la panetteria	bread shop
il panino	(bread) roll

il formaggio	cheese
il salame	salami
l'edicola	newsstand
il fumetto	comic
il bar	café, bar
la pasta	small cake, pastry
caspita!	goodness me!
desidera?	can I help you?
fa niente	it doesn't matter
fresco	fresh
la prossima volta	next time
meno male!	good! just as well!
non dimenticare	don't forget
per favore	please
qui vicino	near here, nearby
secondo me	I think, I reckon
stanco	tired
vorrei	I'd like
cercare	to look for
preferire	to prefer
rassomigliare a	to look like
avere bisogno di	to need

A tu per tu 1

Vorrei	un una	

Allora, devi cercare	un una un’	fruttivendolo. edicola. macellaio. bar. gelateria.

A tu per tu 2

Devo comprare	del della dei delle	

C’è	un una	generi alimentari macellaio fruttivendolo edicola farmacia	qui vicino. Puoi prendere	il mio la mia	motorino. bicicletta. macchina.

A tu per tu 3

Ciao, tesoro, vado	al alla all'	generi alimentari. supermercato. negozio di ferramenta. macelleria. panetteria. farmacia. edicola.
	dal	fruttivendolo. macellaio. giornalaio. farmacista.

Va bene. Non dimenticare	il la i le	

Impariamo le parole!

la farmacia	pharmacy	**il gelato**	ice cream
il farmacista	pharmacist	**il frullato**	fruit smoothy (*drink*)
l'aspirina	aspirin	**il negozio di ferramenta**	hardware shop
la gelateria	ice-cream shop	**la chiave**	key

Dov'è la **farmacia?**

La **farmacia** è a **destra** della **gelateria.**

seconda parte

Franca cerca la neve

Buongiorno. Mi chiamo Franca. Sono di Roma ma cerco un po' di neve qui in Toscana. È inverno, ma a Roma fa caldo.

Ma no! Il tempo è orribile qui! C'è so cielo è azzurro. Se me è estate qui!

1

Finalmente, delle nuvole grigie! Ma dov'è la neve? Io ho bisogno di neve!

3

4

Adesso siamo a Siena. È la mia città preferita in Toscana. Quella grande piazza si chiama Piazza del Campo.

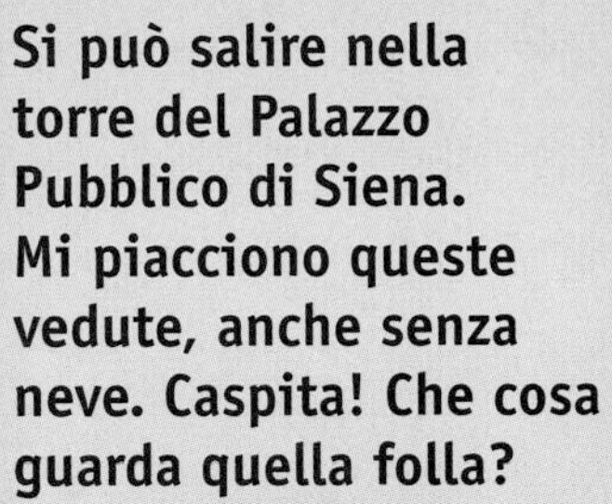

Si può salire nella torre del Palazzo Pubblico di Siena. Mi piacciono queste vedute, anche senza neve. Caspita! Che cosa guarda quella folla?

Ho una fame da lupo! Vado a prendere un panino con un po' di salame di cinghiale!

Da un Campo in città a un campo in campagna. Sono un po' stupide, le pecore, ma mi piacciono. E mi piace mangiare l'agnello. Bè! Bè!

Adesso prendo l'autostrada per Firen
È un po' pericoloso con gli sci!
E quel cielo senza nuvole...che brutt

Firenze è il capoluogo della Toscana. Nevica qualche volta su quelle colline, ma non adesso.

Chi è l'asino che cerca la neve in questa parte della Toscana? Io. Io. Io.

Adesso torno a Roma. La prossima volta vado a cercare la neve in montagna.

Impariamo le parole!

il tempo	weather
l'estate (*f*)	summer
l'inverno	winter
il cielo	sky
il sole	sun
fa bel tempo	it's nice weather
fa caldo	it's hot
fa freddo	it's cold
la neve	snow
la nuvola	cloud
nevicare	to snow
lo sci	ski
l'agnello	lamb
l'asino	donkey
il cinghiale	boar
il lupo	wolf
la pecora	sheep
la strada	road, street
l'autostrada	freeway
il capoluogo	capital
in campagna	in the country
in montagna	in the mountains
la collina	hill
la torre	tower
avere una fame da lupo	to be starving
orribile	horrible
pazzo	crazy
pericoloso	dangerous

Capitolo 7

Domande

1. **Dove abita Franca?**
2. **Che tempo fa a Roma?**
3. **Che cosa fa Franca in Toscana?**
4. **Che tempo fa in Toscana?**
5. **Dov'è la Piazza del Campo?**
6. **Che tempo fa a Siena?**
7. **Da dove vede Franca la folla in Piazza del Campo?**
8. **Che cosa guarda la folla?**
9. **Perchè Franca va al generi alimentari?**
10. **Che cosa compra?**
11. **Qual è il capoluogo della Toscana?**
12. **Che strada prende Franca per andare a Firenze?**
13. **Come si chiama il piccolo della pecora?**
14. **Perchè è un asino Franca?**
15. **Dove va a cercare la neve la prossima volta?**
16. **Qual è il capoluogo del Lazio?**

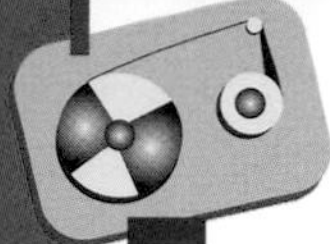

terza parte

Franca torna a Roma

Franca torna a Roma con gli sci. C'è vento.

Capitolo 7

Sono un veterinario. Mm, vediamo un po'. Sì, questo maiale è sano e allegro.
5

Questo latte è molto buono. Anche la mucca è in perfetta salute.
6

Questa fattoria è in perfetto ordine. Complimenti!
7
Nella vecchia fattoria, ia ia ooooo.
8

Perfetto, adesso piove! Che brutto tempo!
9

Scusa, ma abbiamo fretta.
10

Capitolo 7

Grazie, ragazzi. Mi piace fare lo sci acquatico.
Un'ora dopo. A Roma.
È pericoloso qui. Sono pazzi questi romani.
La prossima volta io preparo il pranzo e Antonio può fare la spesa.
Accidenti!!!!
Che cavolo succede?
Che cavolo fai? Vai in montagna se vuoi sciare!

Capitolo 7

Impariamo le parole!

il cavolo	cabbage	**il prosciutto**	ham
la fattoria	farm	**la salute**	health
fare windsurf	to go windsurfing, sailboarding	**lo sci acquatico**	water skiing
gentile	kind	**il vento**	wind
il latte	milk	**se**	if
il maiale	pig	**vediamo un po'**	let's see
la mucca	cow		
l'ordine (*m*)	order, condition	**che brutto tempo!**	what horrible weather!
perfetto	perfect	**che cavolo succede?**	what the heck is happening?
piove	it's raining	**che strano!**	how strange! that's weird!

In poche parole 2

1

2

3

4

5

6

A 3

Che tempo fa?

Fa **bel** tempo. **C'è neve ma c'è sole e il cielo è azzurro.**

B 2

Com'è il tempo?

Il tempo è **orribile. Il cielo è grigio, fa freddo e piove.**

In poche parole 3

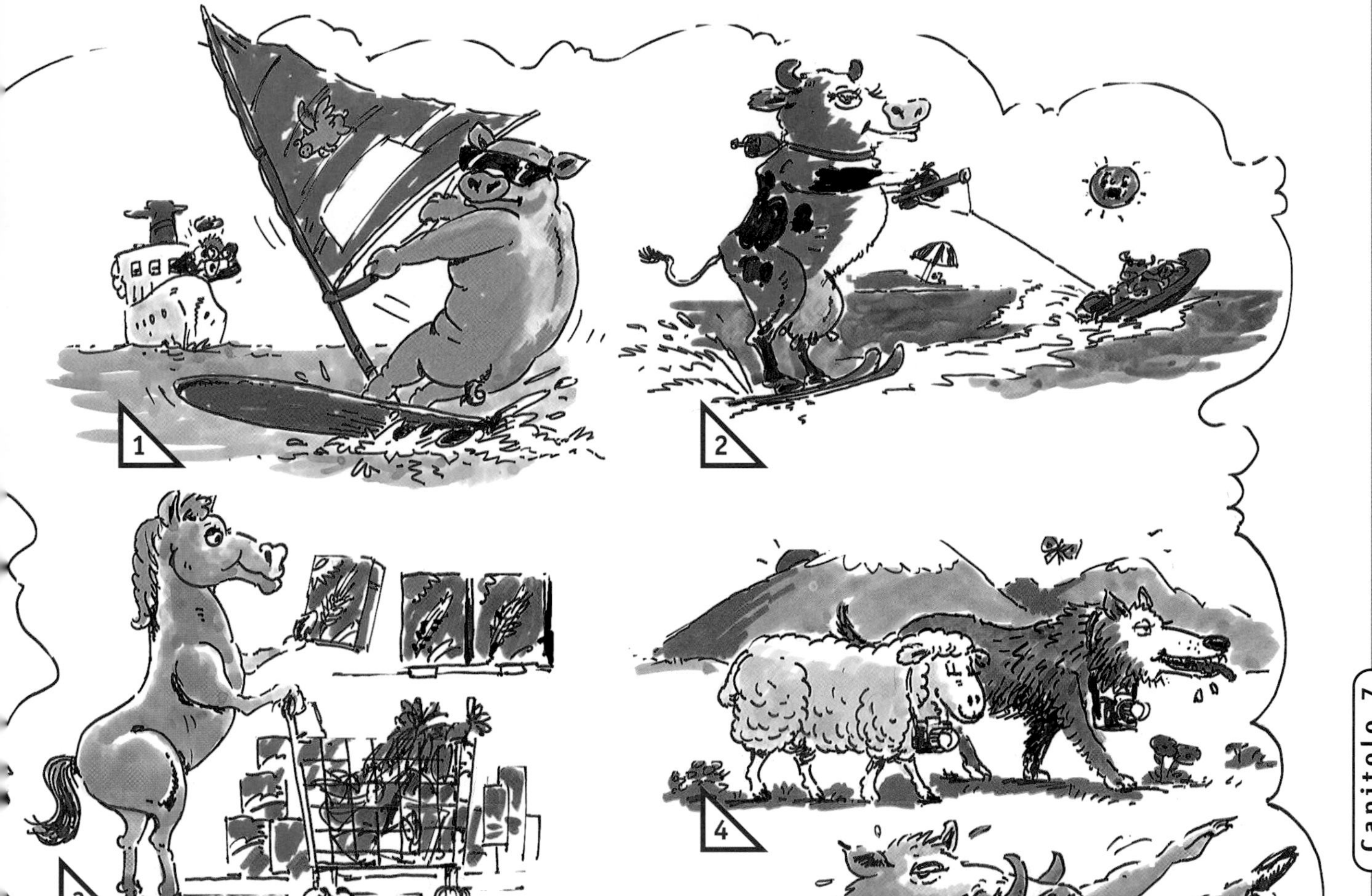

Che cavolo fa **quel maiale**?

Fa **windsurf**.

Che cavolo succede?

Che strano! **Quella mucca** fa **lo sci acquatico**.

A lingua sciolta!

1 Fare la spesa

You only have three things on your shopping list, but unfortunately the shops in this town don't have signs. You'll have to shop by trial and error.

2 Che cosa preferisci?

Che cosa preferisci?

secondo me	secondo te		secondo me	secondo te	
☐	☐	aerobica	☐	☐	jogging
☐	☐	cappuccino	☐	☐	Coca-Cola
☐	☐	carne	☐	☐	verdura
☐	☐	cinema	☐	☐	televisione
☐	☐	città	☐	☐	campagna
☐	☐	formaggio	☐	☐	salame
☐	☐	gelati	☐	☐	frullati
☐	☐	Giallorossi	☐	☐	Biancocelesti
☐	☐	inverno	☐	☐	estate
☐	☐	italiano	☐	☐	inglese
☐	☐	lasagne	☐	☐	spaghetti
☐	☐	maiale	☐	☐	agnello
☐	☐	mercato	☐	☐	supermercato
☐	☑	pollo	☑	☐	bistecca
☐	☐	riviste	☐	☐	fumetti
☐	☐	Roma	☐	☐	Siena
☐	☐	sport	☐	☐	musica
☐	☐	treno	☐	☐	autobus
☐	☐	violino	☐	☐	chitarra
☐	☐	zucca	☐	☐	cavolo

How well do you know your friend? See if you can predict which item they will prefer from the 20 choices listed below.

20 punti – Are you sure you're not twins?!
15–19 punti – You are *very* good friends.
10–15 punti – You can still surprise each other, can't you?
5–10 punti – You don't really know each other that well, do you?
0–5 punti – Are you sure you've been introduced?

Studiamo la lingua!

1 Preferisci questi verbi -ire?

In chapter 6, you met two verbs from the **-ire** group, **salire** and **partire**. In this chapter you meet **preferire**, one of a number of **-ire** verbs that behave a little differently. This table shows you how verbs like **preferire** differ from the other **-ire** verbs.

	partire	**preferire** to prefer
io	parto	**preferisco**
tu	parti	**preferisci**
lui, lei	parte	**preferisce**
noi	partiamo	**preferiamo**
voi	partite	**preferite**
loro	partono	**preferiscono**

You will meet other verbs like **preferire** as the course progresses.

2 In quella bella cappella...

Before a noun, **quello** behaves in the same way as **del**, **della** etc. and **nel**, **nella** etc.

Mi piace quel cielo senza nuvole.
I like that cloudless sky.

Quella grande piazza si chiama Piazza del Campo.
That big piazza is called Piazza del Campo.

Quell'autostrada è pericolosa!
That freeway is dangerous!

Quei romani sono pazzi.
Those Romans are crazy.

Nevica qualche volta su quelle colline.
It sometimes snows on those mountains.

As you will see in the next chapter, **bello** follows the same pattern when it occurs before a noun.

In Piazza Navona ci sono dei bei palazzi e delle belle fontane.
In Piazza Navona there are some lovely palaces and some beautiful fountains.

3 Del formaggio e della zucca...

You are used to seeing **di** + the definite article in sentences like these:

Hai paura dei topi? Che fifone!
You're afraid of mice? What a wimp!

Si può salire nella torre del Palazzo Pubblico.
You can go up the tower of the town hall.

Combining **di** with the definite article is also a common way of saying 'some' in Italian.

Prendo del formaggio e del prosciutto.
I'll have some cheese and some ham.

Voglio comprare delle cipolle e della zucca.
I want to buy some onions and some pumpkin.

Devo ritirare dei soldi dalla banca.
I have to get some money from the bank.

4 Eccolo!

The Italian word for 'it' is either **lo** or **la**, depending on whether you are referring to a masculine or a feminine noun. You add **lo** or **la** to the end of **ecco** to say 'There it is!'

C'è una banca qui vicino. Ah, eccola!
There's a bank around here somewhere. Ah, there it is.

Il generi alimentari è in questa strada. Eccolo!
The food store is in this street. There it is!

5 Quale?

Quale? (plural: **quali?**) means 'which?'

Quale sport preferisci?
Which sport do you prefer?

Quali pomodori vuoi prendere?
Which tomatoes do you want to take?

Sometimes **quale?** means 'what?'

Qual è il capoluogo della Toscana?
What is the capital of Tuscany?

Capitolo 8

prima parte

Un uomo moderno

È l'una e mezzo. I ragazzi Ferraro sono a casa.

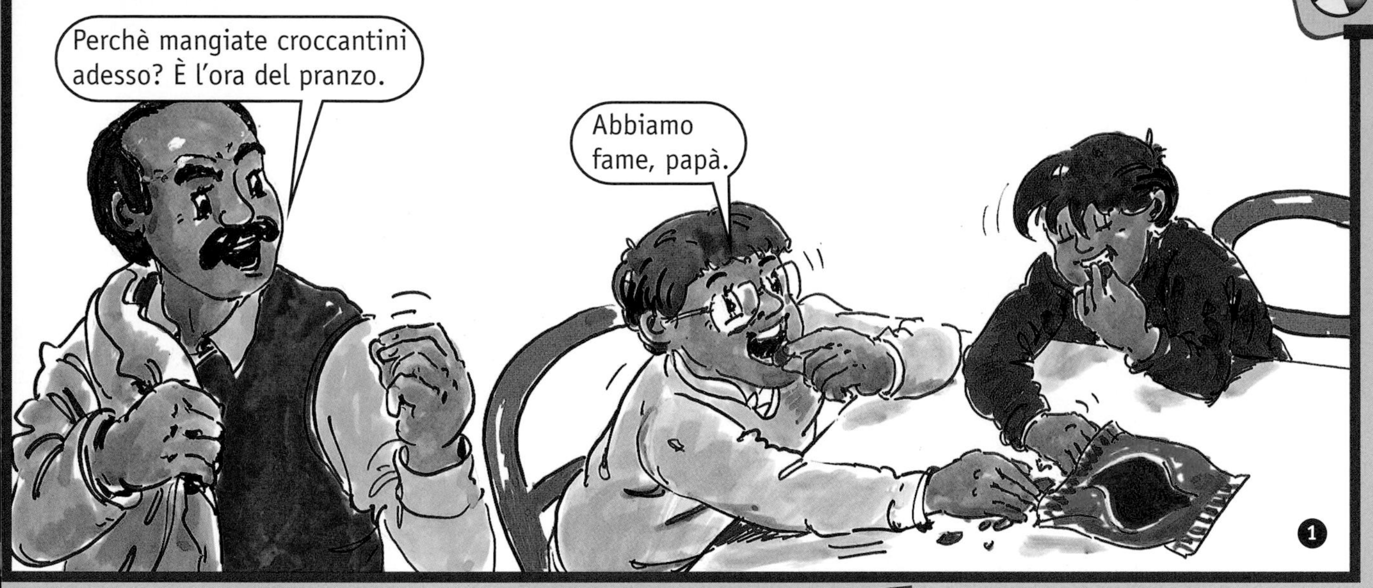

Capitolo 8

Un quarto d'ora dopo, in città.

Capitolo 8

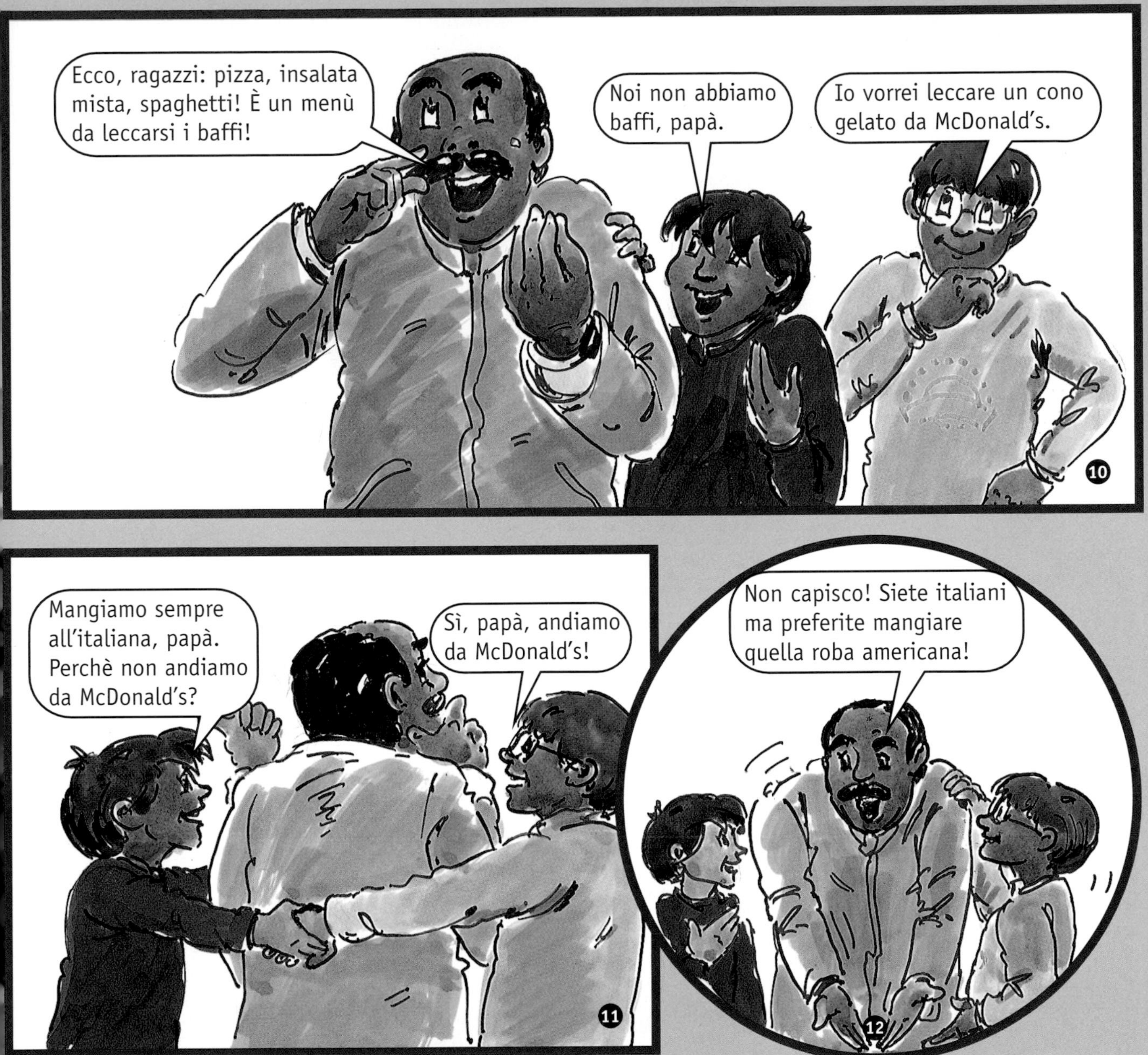

Mangiamo sempre all'italiana, papà. Perchè non andiamo da McDonald's?

Sì, papà, andiamo da McDonald's!

11

Non capisco! Siete italiani ma preferite mangiare quella roba americana!

12

McDonald's è il ristorante per la famiglia moderna.

Mamma è una donna moderna, papà. Tu non vuoi essere un uomo moderno?

13

Impariamo le parole!

i baffi	whiskers, moustache
il croccantino	potato chip
il gusto	taste
l'insalata mista	mixed salad
il menù	menu
il ristorante	restaurant
la roba	stuff
capire	to understand
cucinare	to cook
leccare	to lick
l'ora del pranzo	lunch time
qualcosa da mangiare	something to eat
mangiare all'italiana	to eat Italian
da leccarsi i baffi	mouthwatering
la solita pizza!	pizza as usual!
	not pizza again!

Domande

1. **Perchè i ragazzi mangiano croccantini all'ora del pranzo?**
2. **Perchè Antonio prende dei Fonzies?**
3. **Che gusto hanno i Fonzies?**
4. **Come si chiamano i Fonzies in inglese?**
5. **Che cosa si può vincere se si mangia i Flash?**
6. **Perchè i ragazzi Ferraro non possono mangiare a casa?**
7. **Perchè Antonio vuole andare a mangiare fuori?**
8. **Come si chiama la pizzeria?**
9. **Com'è il suo menù? È buono?**
10. **Perchè i ragazzi non vogliono mangiare pizza o spaghetti?**

In poche parole 1

La Maddalena

Pizzeria

Margherita	pomodoro, formaggio, origano	**6 500**
Napoli	pomodoro, formaggio, olive	**7 500**
Capricciosa	pomodoro, formaggio, prosciutto, olive	**8 500**
Boscaiola	pomodoro, formaggio, funghi, carciofi	**8 500**
Vegetariana	pomodoro, formaggio, funghi, olive, peperoni	**8 500**
Salmone	pomodoro, salmone, basilico	**10 000**
Maddalena	un po' di tutto	**10 000**
Caprese	pomodoro, formaggio, basilico	**8 000**
Insalata mista		**7 000**

Spaghetteria

all'italiana	pomodoro	**7 000**
alla bolognese	carne	**7 000**
ai 4 formaggi	quattro formaggi	**7 000**
alla carbonara	uovo, pancetta	**7 000**

I prezzi comprendono servizio e coperto

Che cosa c'è sulla pizza **margherita**?
C'è pomodoro, **formaggio** e **origano**.

Che cosa sono gli spaghetti **all'italiana**?
Sono spaghetti con un sugo di **pomodoro**.

Non posso mangiare **l'origano**.
Non devi prendere la pizza **margherita**, allora.

Perchè non prendi gli spaghetti **alla bolognese**?
No, non mi piace **la carne**.

Quanto cost**a una pizza capricciosa**?
Ottomilacinquecento lire.

Capitolo 8

Impariamo le parole!

il basilico	basil	**la pancetta**	bacon
il carciofo	artichoke	**il pomodoro**	tomato
il fungo	mushroom	**l'uovo, le uova**	egg, eggs

Da McDonald's

I tre ragazzi Ferraro arrivano da McDonald's in Piazza di Spagna.

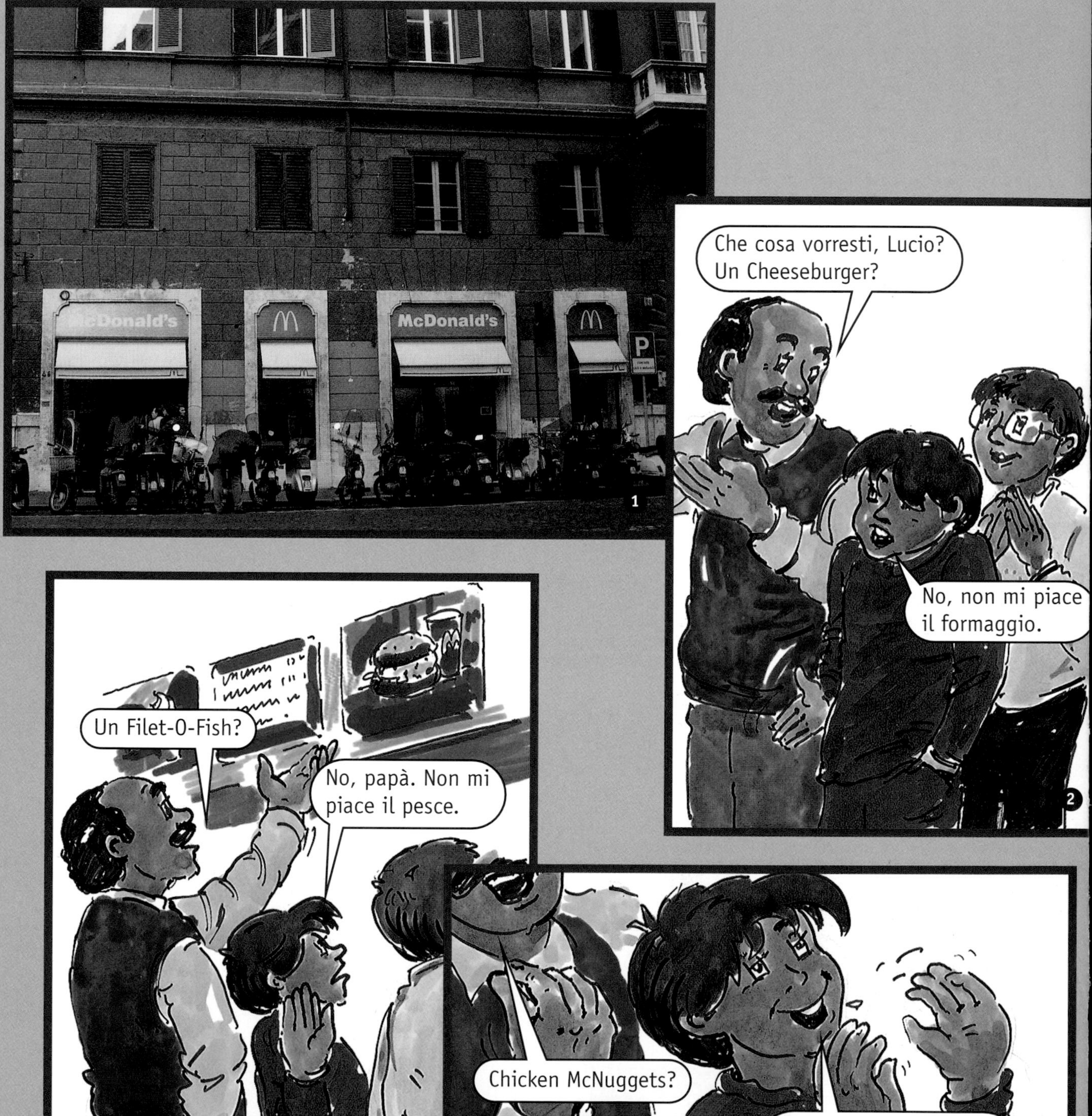

1

2

Che cosa vorresti, Lucio? Un Cheeseburger?

No, non mi piace il formaggio.

3

Un Filet-O-Fish?

No, papà. Non mi piace il pesce.

4

Chicken McNuggets?

No, non mi piace il pollo. Io vorrei un Big Mac e delle patatine fritte.

E tu, che cosa vorresti, Francesco?
Io prendo un panino di pollo e una grande porzione di patatine.
5

TÈ FREDDO
Grande
media 2500
Piccola
ACQUA GASSATA 3200
BIRRA 2700
SUCCO D'ARANCIA
CAFFÈ/TÈ 1200
SHAKES
Grande 3500
SALAD BAR
MISTE DI STAGIONE normale 5900
grande
Media 2800
Piccola
PASTICCERIA
TORTA DI MELE CALDA
CONO GELATO alla crema 2300
SUNDAE con sciroppc alla fragola, cioccolato e caramello caldi 2900
E' nato il panino di pollo.
Succede solo da
6

E un'insalata mista! E se non finisci la tua insalata non puoi mangiare le tue patatine.
7

Troviamo un tavolo, ragazzi!
Ecco la tua sedia, Lucio!
Spiritoso!
8

9

Capitolo 8

C'è molta gente da McDonald's oggi...
...non è facile trovare un tavolo.

Mezz'ora dopo.

Kellogg's
RICE KRISPIES

Lo sapevi che ogni RICE KRISPIES è semplicemente un chicco di riso, per di più italiano?

Tutta la bontà del riso

La mattina dopo. A casa.

Impariamo le parole!

Dalla pasticceria	From the cakes and sweets counter
il caramello	caramel
la caramella	sweet, candy
il cioccolato	chocolate
il cornetto	croissant
la fragola	strawberry
la mela	apple
lo sciroppo	topping
la vaniglia	vanilla
Da bere	To drink
la birra	beer
il tè	tea
il succo d'arancia	orange juice

l'acqua gassata	sparkling (*mineral*) water
la carta	paper
la colazione	breakfast
la gente	people
la patatina fritta	french fry
la sedia	chair
il tavolo	table
facile	easy
solito	usual
buttare	to throw
trovare	to find
delizioso	delicious
che cosa vorresti?	what would you (*sing.*) like?

In poche parole 2

A

Perchè prendi **i** mi**ei croccantini**?

Quest**i croccantini sono i** tu**oi**? Mi dispiace.

B

Perchè non finisci **le** tu**e patatine**?

Non mi **piacciono**. Non **sono** molto buon**e**.

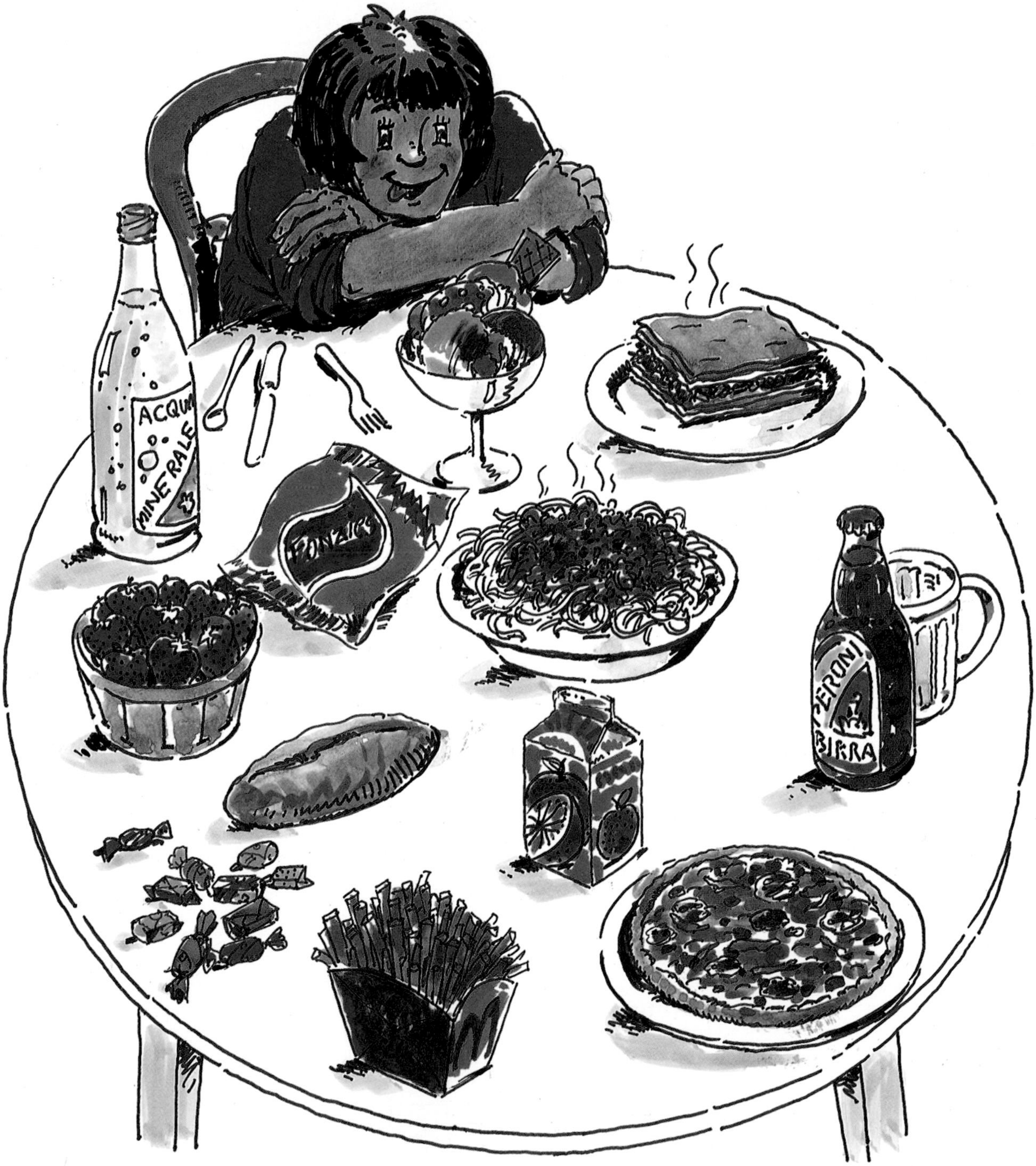

C

Quest**o succo d'arancia è** delizios**o**.

Non capisco come puoi **bere un succo d'arancia** adesso.

A tu per tu 1

Buongiorno, **signora**. Desidera?

Io vorrei un **panino di pollo** e una porzione **media** di patatine.

Un dessert? Qualcosa dalla pasticceria?

Sì. Prendo **un sundae con sciroppo alla fragola**.

Qualcosa da bere?

Un succo d'arancia, per favore.

Grande?

No, piccolo.

Perfetto. **7 500** lire, per favore.

Il famosissimo **Big Mac** ™: 100% puro manzo per i buongustai.

Cheeseburger al formaggio fondente: 100% puro manzo.

Filet-O-Fish ™: delizioso filetto di pesce.

A tu per tu 2

Cosa prendi? Un Chicken McNuggets? — No, non mi piace...

Un Filet-O-Fish? — No, non mi piace...

Un Cheeseburger? — No, non mi piace...

Un Big Mac? — No, non mi piace...

Un'insalata mista? — No, non mi piace...

Un sundae, allora? — No, non mi piace...

Perchè vieni da McDonald's allora? — Non so.

il gelato **la carne** **la verdura**

il pesce **il pollo** **il formaggio**

Quanto costa...

1 un sachetto di Flash?
2 un pacchetto di Tronky?
3 un cappuccino e un cornetto da McDonald's?
4 una grande porzione di patatine fritte?
5 un'insalata mista?
6 un cono gelato?
7 una torta di mele?
8 una Coca-Cola grande?
9 un'acqua gassata?
10 un succo d'arancia?

La mensa

In alcune[1] scuole italiane c'è una mensa[2]. Se gli studenti hanno lezioni nel pomeriggio[3] possono mangiare il pranzo nella mensa.

Calma, ragazzi! C'è pasta per tutti.

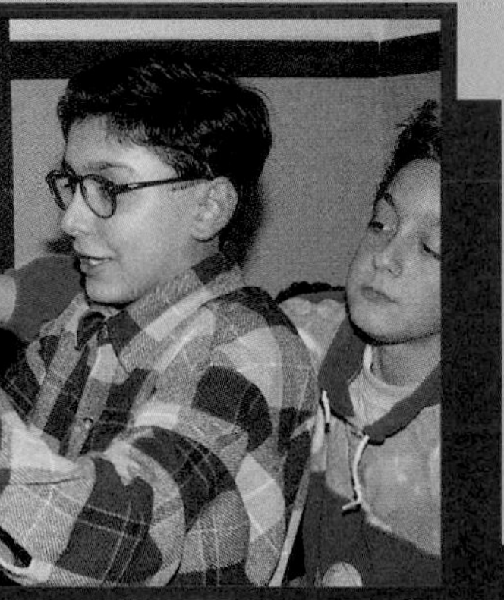

Prendi troppo zucchero[4], Santina.

[1] **alcuni (-e)**	some
[2] **la mensa**	canteen, cafeteria
[3] **il pomeriggio**	afternoon
[4] **lo zucchero**	sugar

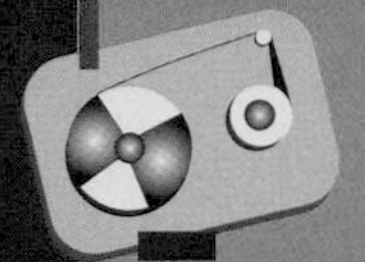

terza parte

Buon Natale in Piazza Navona!

Piazza Navona è la mia piazza preferita di Roma. È molto grande con dei bei palazzi e delle belle fontane

I carabinieri guardano sempre i miei capelli. Poveretti! Non possono avere capelli come questi.

Via di qua! Non mi piacciono i piccioni!

3

A Natale, c'è un grande mercato di Natale in Piazza Navona.

5

Diecimila lire per un Babbo Natale!! Mamma mia, sono cari!

6

Tanto, preferisco la Befana. Secondo me, è più simpatica.

7

Ah, prendo questa Befana che scende per il mio camino...

8

...e mi lascia un sacco di regali nella mia calza.

9

A Natale, spendo tutti i miei soldi in caramelle. Due etti di caramelle miste, per favore!

E adesso compro dei regali per i miei nipoti. Sono gemelli. Un lecca-lecca per Romolo, il romanista...

...e uno per Remo, il laziale.

Ma adesso ho veramente fame. Cosa prendo? Vediamo un po'. Un panino? Una banana?

Finalmente, un regalo per mia nipote, Anna. Lei colleziona questi burattini. Ah, i Puffi! Prendo quello con il cappuccio rosso.

Arrivederci, ragazzi. Mettete molti soldi nel mio sacco, per favore. Grazie e buon Natale!

15

Domande

1 Perchè Pierluigi va ogni domenica in Piazza Navona?
2 Che c'è di bello in Piazza Navona?
3 Come vanno i carabinieri in Piazza Navona (se non vanno con la macchina o in motocicletta)?
4 Che cosa c'è in Piazza Navona a Natale?
5 Perchè Pierluigi non compra un Babbo Natale?
6 Come entra la Befana nella casa di Pierluigi?
7 Dove deve lasciare i suoi regali?
8 In che cosa spende i suoi soldi Pierluigi?
9 Che cosa compra per i suoi nipoti?
10 Che cosa compra per sua nipote:
un Cappuccetto Rosso?
un cappuccino?
un Puffo?
un lecca-lecca?

Impariamo le parole!

il babbo	Dad, Daddy	**il regalo**	present
la calza	stocking	**il sacco**	sack
il camino	chimney	**collezionare**	to collect
il cappuccio	hood	**mi lascia un regalo**	he/she leaves me a present
l'etto	100 grams	**scendere**	to climb down
il gemello	twin	**spendere (in)**	to spend (*money*) (on)
il lecca-lecca	lollypop	**caro**	dear
il nipote	nephew	**tanto**	anyway
la nipote	niece	**via di qua!**	get away from here!

Una ricetta per... spaghetti alla bolognese

Ingredienti per 4 persone

- 5 etti di manzo tritato
- una cipolla
- un cucchiaio d'olio d'oliva
- una scatola di pomodori pelati
- un cucchiaio di concentrato di pomodoro
- un peperone (rosso o verde)
- 2 etti di funghi
- basilico
- sale e pepe
- 5 etti di spaghetti
- acqua
- formaggio parmigiano grattugiato

Il sugo

- Tritate la cipolla, il peperone e i funghi. Se usate basilico fresco, tritate anche il basilico. Aprite la scatola di pomodori pelati.
- Mettete in una casseruola un po' d'olio d'oliva a fuoco medio.
- Unitevi la cipolla tritata e, quando è rosolata, unitevi anche la carne tritata.
- Quando la carne è rosolata, unitevi i pomodori pelati, il concentrato di pomodoro e il peperone tritato.
- Unitevi un po' d'acqua e un po' di basilico (e, se volete, sale e pepe).
- Dopo 20 minuti, unitevi i funghi tritati.
- Fate cuocere tutto per altri 20 minuti.

La pasta

Fate cuocere gli spaghetti in acqua bollente. (Potete anche mettere del sale e un po' d'olio d'oliva nell'acqua bollente.) Scolate gli spaghetti quando sono veramente al dente (dopo circa dieci minuti).

Mettete il sugo preparato sugli spaghetti e unitevi un po' di formaggio parmigiano.

Buon appetito!

la casseruola	saucepan	**tritato**	minced, chopped
il concentrato	concentrate (*paste*)	**pelato**	peeled
il cucchiaio	spoon(ful)	**grattugiato**	grated
il formaggio parmigiano	Parmesan cheese	**a medio fuoco**	on medium heat
la scatola	can	**rosolato**	browned
il manzo	beef	**fate cuocere**	cook
il pepe	pepper	**unitevi**	add
il sale	salt	**tritate**	chop
		scolate	drain
aprite	open		
bollente	boiling		

A lingua sciolta!

Che cosa vorresti?

È il tempo di organizzare qualcosa di speciale per la fine dell'anno. Perchè non fate un picnic, un barbecue o una festa? Per preparare il menù, dovete sapere che cosa preferiscono i vostri amici. Fate queste domande ai membri della vostra classe. Possono dare due o tre risposte se vogliono.

1 **Che tipo di carne vorresti?**
a la bistecca
b l'agnello
c il manzo tritato (per hamburger)
d il pollo

2 **Che cosa vorresti nei panini?**
a il prosciutto
b il formaggio
c il salame
d l'insalata

3 **Che tipo di snack vorresti?**
a dei croccantini
b delle caramelle
c delle paste
d dei lecche-lecche

4 **Che gusto di gelato vorresti?**
a la vaniglia
b la fragola
c il caramello
d il cioccolato

5 **Da bere che cosa vorresti?**
a succo d'arancia
b Coca-Cola
c acqua minerale
d tè

6 **Che cosa vorresti mettere nell'insalata?**
a dei pomodori
b delle cipolle
c dei funghi
d dei peperoni

7 **Che tipo di frutta vorresti?**
a delle mele
b delle fragole
c delle arancie
d delle banane

Studiamo la lingua!

1 È il mio o il tuo?

You already know to use **il mio** and **il tuo** with masculine nouns, **la mia** and **la tua** with a feminine nouns. Like all adjectives, these possessives have to agree with the noun they refer to.

Il mio pesce è ammalato ma la mia tartaruga è sana e allegra.
My fish is sick but my tortoise is healthy and happy.

Il tuo regalo è nella tua calza.
Your present is in your stocking.

You also know not to use the definite article with a possessive when you are referring to a family member.

Mia sorella sta meglio.
My sister is feeling better.

Come sta tuo fratello?
How is your brother?

Il mio and **il tuo** have the plural forms **i miei** and **i tuoi**; **la mia** and **la tua** have the plural forms **le mie** and **le tue**.

Perchè prendi i miei croccantini?
Why are you taking my potato chips?

Che cosa preferiscono i tuoi amici?
What do your friends prefer?

Non posso finire le mie patatine.
I can't finish my french fries.

Dove sono le tue caramelle?
Where are your candies?

In the plural you always use the definite article, even with family members.

I miei fratelli giocano a calcio ogni domenica.
My brothers play soccer every Sunday.

Le tue sorelle tornano a casa oggi?
Are your sisters coming home today?

2 È il suo!

Il suo ('his', 'her') and **la sua** ('his', 'her') work in much the same way as **il mio**, **la mia** and **il tuo**, **la tua**.

Francesco non finisce la sua insalata.
Francesco isn't finishing his salad.

Che cos'ha Lucio nella sua calza?
What does Lucio have in his stocking?

Che cos'ha Antonella nella sua calza?
What does Antonella have in her stocking?

Qual è il suo regalo preferito?
What is his (or her) favorite present?

Suo fratello è simpatico ma sua sorella è veramente antipatica.
Her (or his) brother is nice but her (or his) sister is a real pain.

Il primo Natale. Ecco Gesù con sua madre.

The plural forms are **i suoi** and **le sue**.

Perchè non mangi i suoi croccantini?
Why don't you eat his (or her) potato chips?

Prendi le sue patatine!
Take her (or his) french fries!

I suoi fratelli e le sue sorelle comprano regali in Piazza Navona.
His (or her) brothers and sisters are buying presents in Piazza Navona.

You can always tell whether **il suo**, **la sua**, **i suoi** or **le sue** means 'his' or 'her' from the context of what you are listening to or reading.

This table should help you get the picture so far.

	singular masculine	feminine	plural masculine	feminine
my, mine	**il mio**	**la mia**	**i miei**	**le mie**
your, yours	**il tuo**	**la tua**	**i tuoi**	**le tue**
his, her, hers	**il suo**	**la sua**	**i suoi**	**le sue**

3 Su!

The Italian word for 'on' is **su**. Like **a**, **da**, **di** and **in**, it combines with the definite article to form one word.

Che cosa c'è sulla pizza capricciosa?
What's on the capricciosa?

Metti il sugo sugli spaghetti.
Put the sauce on the spaghetti.

Metti un po' di formaggio parmigiano sul sugo.
Put a bit of Parmesan cheese on the sauce.

This table should help you get the overall picture.

	a	da	di	in	su
il	al	dal	del	nel	**sul**
la	alla	dalla	della	nella	**sulla**
l'	all'	dall'	dell'	nell'	**sull'**
lo	allo	dallo	dello	nello	**sullo**
i	ai	dai	dei	nei	**sui**
le	alle	dalle	delle	nelle	**sulle**
gli	agli	dagli	degli	negli	**sugli**

Che cosa c'è nelle calze dei ragazzi?

Vocabolario italiano/inglese

A

a to, at
a letto in/to bed
al cinema to the cinema, movie theater
al dente just right (*of pasta*)
alle dodici at twelve o'clock
abitare to live
accidenti! darn!
l'**acqua** water
l'acqua gassata sparkling (mineral) water
adesso now
l'**aereo** plane
l'**aerobica** aerobics
l'**aeroporto** airport
l'**agnello** lamb
aii! ow!
aiutare to help
aiuto! help!
l'**albero** tree
alcuni some
alle dodici at twelve o'clock
allegro happy
l'**allenatore** (*m*) coach
allora then, all right then!
alto tall
altro other
amare to love
l'**amica** friend (*female*)
l'**amico** friend (*male*)
ammalato sick
anche also
andare to go
andiamo! let's go!
l'**animale** (*m*) animal
l'animale domestico pet
l'**anno** year
ho dodici anni I'm twelve
antico ancient
antipatico annoying, a pain
aperto open
l'**appartamento** apartment
aprite! open!
arrivare to arrive
arrivederci goodbye, see you later
artistico artistic
ascoltare to listen (to)
l'**asino** donkey
aspettare to wait
aspetta! wait!
l'**aspirina** aspirin
l'**astronave** (*f*) spaceship
l'**astuccio** pencil case
l'**atletica** athletics
l'**autobus** (*m*) bus
l'**autostrada** freeway
avanti! come in!
avere to have
avere bisogno di to need
avere fame to be hungry
avere paura di to be scared of
avere sete to be thirsty
avere una fame da lupo to be starving, really hungry
l'**avventura** adventure
azzurro blue

B

il **babbo** Dad, Daddy
Babbo Natale Father Christmas, Santa Claus
i **baffi** whiskers, moustache
da leccarsi i baffi mouthwatering
il **bagno** bathroom
il **bambinone** big baby
la **banana** banana
la **banca** bank
il **bar** café, bar
il **barbecue** barbecue
il **baseball** baseball
il **basilico** basil
il **basket** basketball
basta! that's enough!

Vocabolario italiano/inglese

bello good-looking, beautiful
bene well
bene, grazie well, thanks
benvenuto welcome
bianco white
la **bicicletta** bicycle, bike
il **biglietto** ticket
il **binario** platform
birichino naughty
la **birra** beer
bisogno
avere bisogno di to need
la **bistecca** steak
bloccato
è bloccato there's a traffic jam
blu dark blue
la **bocca** mouth
bollente boiling
boxare to box
il **braccio** arm
bravo (in) good (at)
bravo! well done!
fare il bravo to be a good boy
brutto ugly
che brutto tempo! what horrible weather!
buonasera good evening
buongiorno hello, good morning
buono good
buon appetito! enjoy your meal!
buon lavoro! enjoy your work!
il **burattino** puppet
buttare to throw

C

il **caffè** coffee
il **calcio** soccer
caldo hot
fa caldo it's hot
la **calza** stocking
la **camera da letto** bedroom
il **camino** chimney
la **campagna** country
in campagna in the country
il **campionato** championship
il **cane** dog
cantare to sing
la **canzone** song
i **capelli** hair
capire to understand
il **capo** boss
il **capoluogo** capital
la **cappella** chapel
la Cappella Sistina Sistine Chapel
il **cappuccio** hood
la **caramella** sweet, candy
il **caramello** caramel
il **carciofo** artichoke
la **carne** meat
caro dear
il **carro** chariot
la **carrozza** carriage
la **carta** paper; map
il **cartone animato** cartoon (*film, TV*)
la **casa** house
a casa at home
il **casco** helmet
caspita! goodness me!
la **casseruola** saucepan
il **cavallo** horse
il **cavolo** cabbage
che cavolo succede? what the heck is happening?
c'è there is
che c'è? what's wrong?
celeste light blue
la **cena** dinner
cento a hundred
il **centro** center
in centro in the city center, downtown
cercare to look for
che what; that
che brutto tempo! what horrible weather!

Vocabolario italiano/inglese

che cavolo succede? what the heck is happening?
che c'è? what's wrong?
che cosa? what?
che cosa vorresti? what would you (*sing.*) like?
che fifone! what a wimp!
che schifo! how disgusting!
che tipo è? what kind is it?
chi? who?
chiamo
mi chiamo my name is
si chiama his/her name is
la **chiave** key
la **chiesa** church
il **chilo** kilo(gram)
la **chitarra** guitar
chiuso closed
ciao! hi!, bye!
il **cielo** sky
il **cinema** cinema, movie theater
il **cinghiale** boar
il **cioccolato** chocolate
la **cipolla** onion
il **Circo Massimo** Circus Maximus
la **città** town, city
la **classe** class
la **colazione** breakfast
collezionare to collect
la **collina** hill
il **collo** neck
il **colore** color
il **Colosseo** Colosseum
come how
com'è? what's he/she like?
come stai? how are you?
come ti chiami? what's your name?
compiti
fare i compiti to do your homework
comprare to buy
il **computer** computer
computerizzato computerized
con with
il **concentrato** concentrate (*paste*)
il **coniglio** rabbit
conquistare to conquer
contento happy
contiamo! let's count!
contro against
il **cornetto** croissant
il **corpo** body
cosa
che cosa? what?
che cosa vorresti? what would you (*sing.*) like?
così so
costa it costs
creativo creative
credo
non ci credo I don't believe it
il **cretino** idiot
il **croccantino** potato chip
il **cucchiaio** spoon(ful)
la **cucina** kitchen
la cucina italiana Italian cuisine
cucinare to cook
cuocere
fate cuocere! cook!
la **cupola** dome

D

da from; at/to (*someone's place*)
da Antonella at/to Antonella's house
da bere to drink
da leccarsi i baffi mouthwatering
dal veterinario at the vet's
dalla cupola from the dome
delizioso delicious
il **dente** tooth
al dente just right (*of pasta*)
il/la **dentista** dentist
dentro inside
desidera? can I help you?

destra
a destra to the right
di of
lo zaino di Bianca Bianca's backpack
hai paura della tartaruga? you're scared of the tortoise?
di dove sei? where are you from?
un po' di a little, a bit of
del formaggio some cheese
il **diario** diary
dietro behind
dimenticare to forget
non dimenticare! don't forget!
diritto straight ahead
disegnare to draw
dispiace
mi dispiace I'm sorry
il **dito** finger
il **dito del piede** toe
divertente fun
il **dolce** sweets, dessert
la **domanda** question
domani tomorrow
a domani! see you tomorrow!
domenica mattina Sunday morning
la **donna** woman
dopo after
dove? where?

E

è he/she/it is
e, ed and
ecco...! here is...! there is...!
l'**edicola** newsstand
gli **effetti sonori** sound effects
entrare to enter
l'**eroe** (*m*) hero
essere to be
l'**estate** (*f*) summer
l'**età** age
l'**etto** 100 grams

F

fa
fa bel tempo it's nice weather
fa caldo it's hot
fa freddo it's cold
fa niente it doesn't matter
la **faccia** face
facile easy
fame
avere fame to be hungry
avere una fame da lupo to be starving, really hungry
la **famiglia** family
famoso famous
la **fantascienza** science fiction
fantastico great, fantastic
fare to do, to make
fare i compiti to do your homework
fare il bravo/la brava to be a good boy/girl
fare una passeggiata to go for a walk
la **farfalla** butterfly
le **farfalle** farfalle (*butterfly-shaped pasta*)
la **farmacia** pharmacy
il/la **farmacista** pharmacist
la **fattoria** farm
favore
per favore please
ferramenta
il **negozio di ferramenta** hardware store
la **festa** party
il **fifone**
che fifone! what a wimp!
finalmente at last, finally
la **fine** end
alla fine in the end, finally
finito finished, over
la **folla** crowd
fondo
in fondo in the background
la **fontana** fountain

Vocabolario italiano/inglese

forma
  in forma   in shape, fit
il **formaggio**   cheese
  il formaggio parmigiano   Parmesan cheese
il **Foro Romano**   Roman Forum
forte   strong
forza!   come on! go on!
la **fotografia**   photograph
la **fragola**   strawberry
il **frate**   monk, brother
il **fratello**   brother
freddo   cold
  fa freddo   it's cold
fresco   fresh
fretta
  avere fretta   to be in a hurry
il **frullato**   fruit smoothy (*drink*)
la **frutta**   fruit
il **fruttivendolo**   produce vendor
il **fumetto**   comic
il **fungo**   mushroom
il **fuoco**   fire
  a fuoco medio   on medium heat
fuori   outside

G

il **gabinetto**   toilet
la **gamba**   leg
il **gatto**   cat
la **gelateria**   ice-cream shop
il **gelato**   ice cream
il **gemello**   twin
il **generi alimentari**   food store
il **genitore**   parent
la **gente**   people
gentile   kind
giallo   yellow
giocare   to play (*a game*)
il **giocatore**   player
il **giornale**   newspaper
girare   to turn
il **giro**   tour
  in giro   around
la **giungla**   jungle
la **gola**   throat
goloso   greedy
la **gomma**   eraser
il **gorilla**   gorilla
grande   big
grattugiato   grated
grazie   thank you, thanks
gridare   to shout, yell
grigio   gray
il **guanto**   glove
guardare   to watch
  guarda!   look!
la **guardia**   guard
  la guardia svizzera   the Swiss guard
guarito   all better, cured
guasta
  si guasta   (it) breaks down
la **guerra**   war
il **gusto**   taste

H

il **hockey**   hockey

I

l'**idea**   idea
imbarazzato   embarrassed
in   in, into, to
  andiamo in Francia   I'm going to France
  vado in salotto   I'm going into the lounge
  faccio i compiti in cucina   I do my homework in the kitchen
l'**incidente** (*m*)   accident
l'**informatica**   computer studies
l'**inglese**   English
l'**insalata**   salad
  l'insalata mista   mixed salad
intelligente   intelligent, smart

Vocabolario italiano/inglese

interessante interesting
l'**inverno** winter
l'**iscrizione** (*f*) inscription
l'**italiano** Italian

K

karaoke
  la sala karaoke karaoke bar

L

il **lancio del peso** shot put
le **lasagne** lasagna
lasciare
  mi lascia un regalo he/she leaves me a present
il **latte** milk
la **lavagna** blackboard
lavorare to work
il **lavoro** job, work
il/la **Laziale** Lazio supporter
il **lecca-lecca** lollypop
leccare to lick
  da leccarsi i baffi mouthwatering
leggere to read
leggero light (*in weight*)
il **letto** bed
  a letto in bed, to bed
la **lezione** lesson
lì there
il **libro** book
la **lingua** language
il **livello** level
il **lupo** wolf

M

la **macchina** car
il **macellaio** butcher
la **macelleria** butcher shop
la **madre** mother
mai never
il **maiale** pig
male bad
  meno male good! just as well!
  non c'è male not bad
la **mamma** Mom
mangiare to eat
  mangiare all'italiana to eat Italian (*food*)
la **mano** hand
  datevi la mano! shake hands!
il **manzo** beef
il **marmo** marble
la **matematica** mathematics
la **matita** pencil
la **mattina** morning
matto mad, crazy
il **medico** doctor
medio medium
meglio
  stare meglio to feel better
la **mela** apple
il **membro** member
  i membri della vostra classe your classmates
la **memoria** memory
meno
  meno male! good! just as well!
  sono le undici meno un quarto it's a quarter to eleven
la **mensa** canteen, cafeteria
mentre while
il **menù** menu
il **mercato** market
mettere to put
il **mezzo di trasporto** means of transportation
mi
  mi dispiace I'm sorry
  mi piace/piacciono I like
mille a thousand
  duemila two thousand
mio my
  la mia amica my friend (*female*)
  mio fratello my brother

miracolo
  che miracolo! what a miracle!
mitico fabulous
moderno modern
molto very; much; many
momento
  un momento! wait a minute!
il **mondo** world
la **montagna** mountain
  in montagna in the mountains
il **monumento** monument
morto dead
il **mostro** monster
il **motore** motor
il **motorino** motor scooter
la **mucca** cow
la **musica** music

N

il **naso** nose
il **Natale** Christmas
naturalmente naturally, of course
il **negozio** shop
  il negozio di ferramenta hardware shop
nero black
la **neve** snow
nevicare to snow
niente nothing
  fa niente it doesn't matter
il **nipote** nephew
la **nipote** niece
noia
  che noia! how boring!
noioso boring
il **nome** name
non not
  non c'è niente da fare there's nothing to do
  non ci credo I don't believe it
  non dire stupidaggini! don't talk nonsense!
  non è un gran che it's nothing special
  non so I don't know
la **nonna** grandmother, Grandma
il **nonno** grandfather, Grandpa
nuotare to swim
  fare il nuoto to go swimming
nuovo new
la **nuvola** cloud

O

l'**occhio** eye
odiare to hate
oggi today
l'**olio** oil
l'**ombelico** belly button
l'**ora** hour
  l'ora del pranzo lunch time
  l'ora dello shopping shopping time
l'**ordine** (*m*) order, condition
l'**orecchio** ear
organizzare to organize
orribile horrible
ottimo great, excellent

P

il **pacchetto** packet, package
il **padre** father
il **Palatino** Palatine Hill
il **palazzo** palace
il **pallone** (soccer) ball
la **pancetta** bacon
la **pancia** belly
il **pane** bread
la **panetteria** bread shop
il **panino** bread roll
il **papà** Dad
il **Papa** the Pope
il **pappagallo** parrot
parcheggiare to park
il **parcheggio** parking
il **parco** park

parlare to speak
parmigiano Parmesan
partire to leave
la **partita** game, match
passare to pass, get past
la **passeggiata** walk
  fare una passeggiata to go for a walk
la **pasta** pasta; small cake; pastry
la **pasticceria** cake shop
la **patatina fritta** french fry
pattinare to skate
i **pattini** skates
paura
  avere paura di to be scared of
pazzo crazy
la **pecora** sheep
pelato peeled
la **penna** pen
le **penne** penne (*tube pasta*)
il **pepe** pepper (*seasoning*)
il **peperone** red pepper
per for
  per favore please
perchè because
perchè? why?
perdere to lose; to miss (*train etc.*)
perfetto perfect
pericoloso dangerous
permesso? may I come in?
pesante heavy
il **pesce** fish
il **petto** chest
il **pezzo** piece
piano! slowly!
il **pianoforte** piano
piatti
  fare i piatti to do the dishes
la **piazza** square
il **piccione** pigeon
piccolo little, small
il **picnic** picnic
il **piede** foot
  andare a piedi to walk
pigro lazy
il **ping-pong** ping-pong, table tennis
piove it's raining
la **piscina** swimming pool
più di more than
poi then
il **pollo** chicken
il **pomeriggio** afternoon
il **pomodoro** tomato
il **portafoglio** wallet
portare to carry; to bring; to wear
  porta! bring!
il **posto** place, seat
poveretto! poor thing!
il **pranzo** lunch
preferire to prefer
  preferito preferred, favorite
prendere to take; to catch (*a train etc.*); to pick up; to get
prenotare to book (*reserve*)
preparare to prepare
presto! quickly!
il **professore** teacher (*male*)
la **professoressa** teacher (*female*)
pronto ready
il **prosciutto** ham
prossimo next
  la prossima volta next time
puah! yuk!
il **pugilato**
  fare il pugilato to box

Q

il **quaderno** exercise book
qualche volta sometimes

Vocabolario italiano/inglese

qualcosa something
qualcosa da mangiare something to eat
qualcosa di speciale something special
qualcosa d'interessante something interesting
quanti? how many?
quanti anni hai? how old are you?
quanto costa...? how much is...?
quasi almost, nearly
quello that
questo this
qui here
qui vicino near here, nearby

R

la **ragazza** girl
il **ragazzo** boy
il **ragno** spider
rassomigliare a to look like
i **ravioli** ravioli
il **regalo** present, gift
la **ricetta** recipe
ridicolo ridiculous
la **riga** ruler
la **risposta** answer, reply
il **ristorante** restaurant
ritardo
in ritardo late
ritirare to withdraw
la **rivista** magazine
la **roba** stuff
il/la **Romanista** Rome supporter
rosolato browned
rosso red
il **rugby** rugby

S

il **sacco** sack
sai
sai cantare? can you sing?
la **sala** room
la sala da pranzo dining room
la sala di karaoke karaoke bar
la sala giochi arcade
il **salame** salami
il **sale** salt
salire to go up, climb
il **salotto** lounge
i **salumi** sausage meats
la **salute** health
salve! greetings!
il **sandalo** sandal
sano healthy
sapere to know
scappa! go!
la **scatola** can
scendere to climb down
schifo
che schifo! how disgusting!
lo **sci** ski, skiing
lo sci acquatico water skiing
la **sciarpa** scarf
lo **sciroppo** topping
scolate drain
la **scuola** school
scusa! excuse me!
se if
la **seconda media** about Year 7/8
secondo me I think, I reckon
sedetevi! sit down!
la **sedia** chair
il **semaforo** traffic light
sempre always, still
senti! listen!
sentimentale soppy, sentimental
senza without
il **serpente** snake
sete
avere sete to be thirsty
severo strict
sì yes

Vocabolario italiano/inglese

si
  si guasta (it) breaks down
  si può you can
siediti! sit down!
signora Mrs., Ms., Miss
signore Mr., sir
silenzio! silence! be quiet!
simpatico nice
sinistra
  a sinistra to the left
i **soldi** money
il **sole** sun
solito usual
  la solita pizza! pizza as usual! not pizza again!
solo only
la **sorella** sister
gli **spaghetti** spaghetti
la **spalla** shoulder
spendere (**in**) to spend (*money*) (on)
spesa
  fare la spesa to do the shopping
lo **spettatore** spectator
spiritoso witty, clever
  spiritoso! smart aleck!
lo **sport** sport
sportivo athletic
la **squadra** team
lo **stadio** stadium
stanco tired
stare to be
  sta zitto! be quiet!
  stare male to be ill
  stare meglio to be better
stasera tonight, this evening
la **statua** statue
la **stazione** station
la **storia** history
la **strada** road, street
strano strange, weird
  che strano! how strange! that's weird!
lo **studente** student (*male*)
studiare to study
stufo di sick of
stupidaggini
  non dire stupidaggini! don't talk nonsense!
stupido stupid
su on
  su! come on! get up!
subito immediately
il **succo d'arancia** orange juice
il **sugo** sauce (*for pasta*)
suo his/her
  la sua calza his/her stocking
suonare to play (*an instrument*)
la **suora** nun, sister
il **supermercato** supermarket
la **Svizzera** Switzerland
svizzero Swiss

T

tagliare to cut
le **tagliatelle** tagliatelle
tanto anyway
la **tartaruga** tortoise
il **tavolo** table
il **tè** tea
teledipendente addicted to TV
la **televisione** television
il **tempo** time; weather
  fa bel tempo it's nice weather
  fa brutto tempo it's awful weather
il **tennis** tennis
il **tesoro** treasure, darling
la **testa** head
tifare per to support
il **tifoso** fan
timido shy
il **tipo** type, sort, kind
  che tipo è? what kind is it?
tocca a me it's my turn

Vocabolario italiano/inglese

il **topo** mouse
tornare to return
la **torre** tower
la **torta** cake
il **traffico** traffic
il **treno** train
tritate! chop!
tritato minced, chopped, ground
troppo too
trovare to find
tuo your (*sing.*)
  il tuo amico your friend (*male*)
  tua sorella your sister
tutti everybody
tutto all, everything

U

l'**uccello** bird
uffa! good grief!
un momento! wait a minute!
un po' a bit
l'**uniforme** (*f*) uniform
unitevi! add!
l'**uomo** man
l'**uovo** egg
  le uova eggs

V

va bene all right, O.K.
la **vacanza** vacation
la **vaniglia** vanilla
il **Vaticano** Vatican
vecchio old
vedere to see
  vediamo un po' let's see
la **veduta** view
veloce quick, fast
vendere to sell
venite! come!
il **vento** wind
veramente really
verde green
la **verdura** vegetables
vero true
  ..., vero? ..., don't we? ..., isn't that so?
il **veterinario** vet
via! go!
  via di qua! get away from here!
viaggiare to travel
vicino
  qui vicino near here, nearby
il **videogioco** video game
vieni qui! come here!
vietato forbidden, not allowed
il **vigile** policeman
il **vigile del fuoco** fireman
vincere to win
viola purple
violento violent
il **violino** violin
volere to want
volta
  la prossima volta next time
vorrei I'd like
vostro your (*pl*)
  i vostri amici your friends (*male*)

W

windsurf
  fare windsurf to go windsurfing, sailboarding

Z

lo **zaino** backpack
la **zucca** pumpkin
lo **zucchero** sugar

Vocabolario inglese/italiano

A

accident l'incidente (*m*)
adventure l'avventura
aerobics l'aerobica
after dopo
against contro
age l'età
airport l'aeroporto
all tutto
  all right va bene
  all right then! allora!
allowed
  not allowed vietato
almost quasi
also anche
always sempre
ancient antico
and e, ed
animal l'animale (*m*)
annoying antipatico
answer la risposta
anyway tanto
apartment l'appartamento
apple la mela
arcade la sala giochi
arm il braccio
around in giro
to **arrive** arrivare
artichoke il carciofo
artistic artistico
aspirin l'aspirina
at a; da
  at school a scuola
  at Antonella's house da Antonella
  at the vet's dal veterinario
  at last finalmente
athletic sportivo
athletics l'atletica

B

baby
  big baby il bambinone
background
  in the background in fondo
backpack lo zaino
bacon la pancetta
bad male
ball
  (soccer) ball il pallone
banana la banana
bank la banca
bar il bar
barbecue il barbecue
baseball il baseball
basil il basilico
basketball (*game*) il basket
bathroom il bagno
to **be** essere; stare
  to be ill stare male
beautiful bello
because perchè
bed il letto
  in bed, to bed a letto
bedroom la camera da letto
beef il manzo
beer la birra
behind dietro
believe
  I don't believe it non ci credo
belly la pancia
belly button l'ombelico
better
  all better, cured guarito
  to be/feel better stare meglio
bicycle la bicicletta
big grande
bike la bicicletta
bird l'uccello

bit
a bit un po'
black nero
blackboard la lavagna
blue azzurro
dark blue blu
light blue celeste
boar il cinghiale
body il corpo
boiling bollente
book il libro
to **book** (*reserve*) prenotare
boring noioso
how boring! che noia!
boss il capo
to **box** boxare, fare il pugilato
boy il ragazzo
bread il pane
bread shop la panetteria
breakfast la colazione
it **breaks down** si guasta
to **bring** portare
bring! porta!
brother il fratello
browned rosolato
bus l'autobus (*m*)
butcher il macellaio
butcher shop la macelleria
to **buy** comprare
bye! ciao!

C

cabbage il cavolo
café il bar
cafeteria la mensa
cake la torta
to make a cake fare una torta
cake shop la pasticceria
can la scatola
candy la caramella
canteen la mensa
capital il capoluogo
car la macchina
caramel il caramello
carriage la carrozza
to **carry** portare
cartoon (*film*, *TV*) il cartone animato
cat il gatto
to **catch** (*a train etc.*) prendere
center il centro
in the city center in centro
chair la sedia
champion il campione
championship il campionato
chapel la cappella
chariot il carro
cheese il formaggio
Parmesan cheese il formaggio parmigiano
chest il petto
chicken il pollo
chimney il camino
chocolate il cioccolato
Christmas il Natale
church la chiesa
cinema il cinema
to the cinema al cinema
Circus Maximus il Circo Massimo
city la città
in the city center in centro
class la classe
clever intelligente; spiritoso
to **climb** salire
to **climb down** scendere
closed chiuso
cloud la nuvola
coach l'allenatore (*m*)
coffee il caffè
cold freddo
it's cold fa freddo
to **collect** collezionare

Vocabolario inglese/italiano

Colosseum il Colosseo
color il colore
to **come**
  come! (*to more than one person*) venite!
  come here! (*to one person*) vieni qui!
  come in! avanti!
  come on! forza!; (*get up!*) su!
  may I come in? permesso?
comic il fumetto
computer il computer
computer studies l'informatica
computerized computerizzato
condition l'ordine (*m*)
to **conquer** conquistare
to **cook** cucinare
cost
  it costs costa
country la campagna
  in the country in campagna
cow la mucca
crazy matto, pazzo
creative creativo
croissant il cornetto
crowd la folla
cured guarito
to **cut** tagliare

D

Dad il papà, il babbo
dangerous pericoloso
darling il tesoro
darn! accidenti!
dead morto
dear caro
delicious delizioso
dentist il/la dentista
diary il diario
dining room la sala da pranzo
dinner la cena
disgusting
  how disgusting! che schifo!
dishes
  to do the dishes fare i piatti
to **do** fare
doctor il medico
dog il cane
dome la cupola
donkey l'asino
don't we? ..., vero?
downtown in centro
to **draw** disegnare
to **drink** bere
  something to drink qualcosa da bere

E

ear l'orecchio
easy facile
to **eat** mangiare
  to eat Italian mangiare all'italiana
egg l'uovo
  eggs le uova
embarrassed imbarazzato
  I'm so embarrassed sono così imbarazzato
end la fine
  in the end alla fine
English l'inglese
enjoy
  enjoy your meal! buon appetito!
enough
  that's enough! basta!
to **enter** entrare
eraser la gomma
everybody tutti
everything tutto
excellent ottimo
excuse me! scusa!
exercise book il quaderno
eye l'occhio

Vocabolario inglese/italiano

F

fabulous mitico
face la faccia
family la famiglia
famous famoso
fan (*of sport*) il tifoso
fantastic fantastico
farm la fattoria
fast veloce
father il padre
Father Christmas Babbo Natale
to **feel better** stare meglio
finally (*at last*) finalmente; (*at the end*) alla fine
to **find** trovare
finger il dito
finished finito
fire il fuoco
fireman il vigile del fuoco
fish il pesce
fit (*in shape*) in forma
food store il generi alimentari
foot il piede
for per
forbidden vietato
to **forget** dimenticare
  don't forget! non dimenticare!
fountain la fontana
freeway l'autostrada
french fry la patatina fritta
fresh fresco
friend (*female*) l'amica
friend (*male*) l'amico
from da
  the view from the dome la veduta dalla cupola
  where...from? di dove...?
  I'm from Rome sono di Roma
fruit la frutta
fruit smoothy (*drink*) il frullato
fun divertente

G

game la partita
  video game il videogioco
to **get** prendere
  get away from here! via di qua!
  get up! su!
gift il regalo
girl la ragazza
glove il guanto
to **go** andare
  let's go! andiamo!
  go! scappa!
to **go up** salire
to **go down** scendere
good buono, bravo
  good! meno male!
  good at bravo in
  to be a good boy/girl fare il bravo/la brava
goodbye arrivederci
good evening buonasera
good grief! uffa!
good-looking bello
good morning buongiorno
goodness me! caspita!
gorilla il gorilla
grandfather il nonno
Grandma la nonna
grandmother la nonna
Grandpa il nonno
grated grattugiato
gray grigio
great ottimo; fantastico
greedy goloso
green verde
greetings! salve!
guard la guardia
guitar la chitarra

H

hair i capelli

Vocabolario inglese/italiano

ham il prosciutto
hand la mano
happening
  what the heck is happening? che cavolo succede?
happy contento, allegro
hardware store il negozio di ferramenta
to **hate** odiare
to **have** avere
to **have to** dovere
head la testa
health la salute
healthy sano
heavy pesante
hello buongiorno
helmet il casco
to **help** aiutare
  help! aiuto!
  can I help you? desidera?
her (il) suo, (la) sua
here qui
  here (it) is! ecco!
  here is, there is c'è
hero l'eroe (*m*)
hi! ciao!
hill la collina
his (il) suo, (la) sua
history la storia
hockey il hockey
homework i compiti
  to do your homework fare i compiti
hood il cappuccio
horrible orribile
horse il cavallo
hot caldo
  it's hot fa caldo
hour l'ora
house la casa
how
  how are you? come stai?
  how boring! che noia!
  how many? quanti?
  how much is...? quanto costa...?
  how old are you? quanti anni hai?
hundred cento
  a hundred grams l'etto
hungry
  to be hungry avere fame
  to be really hungry, starving avere una fame da lupo
hurry
  to be in a hurry avere fretta

I

ice cream il gelato
ice-cream shop la gelateria
idea l'idea
idiot il cretino
if se
ill
  to be ill stare male
immediately subito
in, into in
  in shape in forma
  in(to) the motor nel motore
  inside dentro
inscription l'iscrizione (*f*)
intelligent intelligente
interesting interessante
is è
  he/she is (lui/lei) è
  it is è
  isn't that so? ..., vero?
Italian l'italiano
  Italian cuisine la cucina italiana

J

job il lavoro
jungle la giungla
just right (*of pasta*) al dente

Vocabolario inglese/italiano

K

karaoke bar la sala karaoke
key la chiave
kilo(**gram**) il chilo
kind (*nice*) gentile
kind (*sort, type*) il tipo
kitchen la cucina
to **know** sapere
  I don't know non so

L

lamb l'agnello
language la lingua
lasagna le lasagne
last
  at last finalmente
late in ritardo
Lazio supporter il/la Laziale
lazy pigro
to **leave** (*depart*) partire
  he/she leaves me a present mi lascia un regalo
left
  to the left a sinistra
leg la gamba
lesson la lezione
level il livello
to **lick** leccare
light leggero
like
  I like mi piace/piacciono
  I'd like vorrei
  what would you (*sing.*) **like?** che cosa vorresti?
to **listen** (**to**) ascoltare
  listen! senti!
little piccolo
to **live** abitare
lollypop il lecca-lecca
to **look** (**at**) guardare
  look! guarda!
to **look for** cercare
to **look like** rassomigliare a
to **lose** perdere
lounge il salotto
to **love** amare
lunch il pranzo

M

mad (*crazy*) matto
magazine la rivista
to **make** fare
man l'uomo
many molti
marble il marmo
market il mercato
match (*game*) la partita
mathematics la matematica
matter
  it doesn't matter fa niente
meal
  enjoy your meal! buon appetito!
means of transportation il mezzo di trasporto
meat la carne
medium medio
memory la memoria
menu il menù
milk il latte
minute
  wait a minute! un momento!
miracle
  what a miracle! che miracolo!
Miss signora
to **miss** (*train etc.*) perdere
modern moderno
Mom la mamma
money i soldi
monk il frate
monster il mostro
monument il monumento
more than più di
morning la mattina

Vocabolario inglese/italiano

motor il motore
motor scooter il motorino
mountain la montagna
mouse il topo
moustache i baffi
mouth la bocca
mouthwatering da leccarsi i baffi
movie theater il cinema
  to the movie theater al cinema
Mr. signore
Mrs. signora
Ms. signora
much molto
mushroom il fungo
music la musica
my (il) mio, (la) mia

N

name il nome
  his/her name is si chiama
  my name is mi chiamo
  what's your name? come ti chiami?
naturally naturalmente
naughty birichino
near here qui vicino
nearby qui vicino
nearly quasi
neck il collo
to **need** avere bisogno di
nephew il nipote
never mai
new nuovo
newspaper il giornale
newsstand l'edicola
next prossimo
  next time la prossima volta
nice simpatico
niece la nipote
nonsense
  don't talk nonsense! non dire stupidaggini!
nose il naso
not non
  not bad non c'è male
nothing niente
  there's nothing to do non c'è niente da fare
  it's nothing special non è un gran che
now adesso
nun la suora

O

O.K. va bene
of di
of course naturalmente
oil l'olio
old vecchio
on su
  on those hills su quelle colline
  on the pizza sulla pizza
onion la cipolla
only solo
open aperto
  open! aprite!
orange juice il succo d'arancia
order l'ordine (*m*)
to **organize** organizzare
other altro
outside fuori
over (*finished*) finito
ow! aii!

P

packet il pacchetto
pain
  a pain antipatico
palace il palazzo
Palatine Hill il Palatino
paper la carta
parent il genitore
park (*recreational*) il parco
to **park** parcheggiare
parking il parcheggio

Parmesan parmigiano
parrot il pappagallo
party la festa
to **pass** (*to get past*) passare
pasta la pasta
pastry la pasta
peeled pelato
pen la penna
pencil la matita
pencil case l'astuccio
people la gente
pepper (*red*) il peperone
pepper (*seasoning*) il pepe
perfect perfetto
pet l'animale domestico
pharmacist il/la farmacista
pharmacy la farmacia
photograph la fotografia
piano il pianoforte
to **pick up** prendere
picnic il picnic
pig il maiale
pigeon il piccione
ping-pong il ping-pong
place il posto
plane l'aereo
platform il binario
to **play** (*a sport, game etc.*) giocare; (*an instrument*) suonare
player il giocatore
please per favore
policeman il vigile
poor thing! poveretto!
the **Pope** il Papa
potato chip il croccantino
to **prefer** preferire
  preferred preferito
to **prepare** preparare
present (*gift*) il regalo
produce vendor il fruttivendolo
pumpkin la zucca
puppet il burattino
purple viola
to **put** mettere

Q

quarter un quarto
  it's a quarter to eleven sono le undici meno un quarto
  it's a quarter past one è l'una e un quarto
question la domanda
quick veloce
quickly! presto!
quiet
  be quiet! silenzio!, sta zitto!

R

rabbit il coniglio
rain
  it's raining piove
to **read** leggere
ready pronto
really veramente
reckon
  I reckon secondo me
red rosso
reply la risposta
restaurant il ristorante
to **return** tornare
ridiculous ridicolo
right destra
  to the right a destra
roll
  (**bread**) **roll** il panino
Roman Forum il Foro Romano
Rome supporter il/la Romanista
rugby il rugby
ruler la riga

S

sack il sacco

Vocabolario inglese/italiano

sailboarding
  to go sailboarding fare windsurf
salad l'insalata
  mixed salad l'insalata mista
salami il salame
salt il sale
sandal il sandalo
Santa Claus Babbo Natale
sauce (*for pasta*) il sugo
saucepan la casseruola
scared
  to be scared (**of**) avere paura (di)
scarf la sciarpa
school la scuola
science fiction la fantascienza
seat (*in train etc.*) il posto
to **see** vedere
  let's see vediamo un po'
  see you later arrivederci
to **sell** vendere
sentimental sentimentale
shake hands! datevi la mano!
sheep la pecora
shop il negozio
shopping
  to do the shopping fare la spesa
shot put il lancio del peso
shoulder la spalla
to **shout** gridare
shy timido
sick ammalato
  sick of stufo di
silence! silenzio!
to **sing** cantare
sir signore
sister la sorella
Sistine Chapel la Cappella Sistina
sit down! (*to more than one person*) sedetevi!; (*to one person*) siediti!
skates i pattini
  to skate pattinare
ski, skiing lo sci
  water skiing lo sci acquatico
  to go (**water**) **skiing** fare lo sci (acquatico)
sky il cielo
slowly! piano!
small piccolo
smart intelligente
  smart aleck! spiritoso!
snake il serpente
snow la neve
  to snow nevicare
so così
soccer il calcio
soccer ball il pallone
some
  some cheese del formaggio
something qualcosa
  something special qualcosa di speciale
  something to eat qualcosa da mangiare
sometimes qualche volta
song la canzone
soppy sentimentale
sorry
  I'm sorry mi dispiace
sort il tipo
  what sort is it? che tipo è?
spaceship l'astronave (*f*)
spaghetti gli spaghetti
sparkling (**mineral**) **water** l'acqua gassata
to **speak** parlare
spectator lo spettatore
to **spend** (*money*) (**on**) spendere (in)
spider il ragno
spoon(**ful**) il cucchiaio
sport lo sport
square la piazza
stadium lo stadio
to be **starving** (*really hungry*) avere una fame da lupo
station la stazione
statue la statua

Vocabolario inglese/italiano

steak la bistecca
stocking la calza
straight ahead diritto
strange
  how strange! che strano!
strawberry la fragola
strict severo
strong forte
to **study** studiare
stuff (*things*) la roba
stupid stupido
sugar lo zucchero
summer l'estate (*f*)
sun il sole
Sunday morning domenica mattina
supermarket il supermercato
to **support** tifare per
supporter (*fan*) il tifoso
sweet (*candy*) la caramella
sweets (*dessert*) il dolce
to **swim** nuotare
  to go swimming fare il nuoto
swimming pool la piscina
Swiss svizzero
  the Swiss Guard la Guardia Svizzera
Switzerland la Svizzera

T

table il tavolo
table tennis il ping-pong
to **take** prendere
tall alto
taste il gusto
tea il tè
teacher (*female*) la professoressa
teacher (*male*) il professore
team la squadra
television la televisione
tennis il tennis
thank you grazie
thanks grazie
that quello
  that boy quel ragazzo
then poi; allora
there lì
  there's a church here c'è una chiesa qui
  there's Giorgio! ecco Giorgio!
think
  I think secondo me
thirsty
  to be thirsty avere sete
this questo
thousand
  a thousand mille
  two thousand duemila
throat la gola
to **throw** buttare
ticket il biglietto
time il tempo
  lunch time l'ora del pranzo
  shopping time l'ora dello shopping
tired stanco
to a, ad, in, da
  to bed a letto
  to Italy in Italia
  to the vet's dal veterinario
today oggi
toe il dito del piede
toilet il gabinetto
tomato il pomodoro
tomorrow domani
  see you tomorrow! a domani!
tonight stasera
too troppo; anche
tooth il dente
topping lo sciroppo
tortoise la tartaruga
tour il giro
tower la torre
town la città

Vocabolario inglese/italiano

traffic il traffico
traffic light il semaforo
train il treno
to **travel** viaggiare
treasure il tesoro
tree l'albero
true vero
turn
  it's my turn tocca a me
  to turn girare
twin il gemello
type il tipo

U

ugly brutto
to **understand** capire
uniform l'uniforme (*f*)
usual solito
  pizza as usual! not pizza again! la solita pizza!

V

vacation la vacanza
vanilla la vaniglia
Vatican il Vaticano
vegetables la verdura
very molto
vet il veterinario
video game il videogioco
view la veduta
violent violento
violin il violino

W

to **wait** aspettare
  wait! aspetta!
  wait a minute! un momento!
walk la passeggiata
  to walk andare a piedi
  to go for a walk fare una passeggiata
wallet il portafoglio
to **want** volere
war la guerra
to **watch** guardare
water l'acqua
  water skiing lo sci acquatico
to **wear** portare
weather il tempo
  it's awful weather fa brutto tempo
  it's nice weather fa bel tempo
  what horrible weather! che brutto tempo!
weird
  that's weird! che strano!
welcome benvenuto
well bene
  just as well! meno male!
  well done! bravo!
  well, thanks bene, grazie
what? che (cosa)?
  what would you (*sing.*) **like?** che cosa vorresti?
  what's wrong? che c'è?
  what a wimp! che fifone!
  what's he/she like? com'è?
where? dove?
  where do you live? dove abiti?
  where's your book? dov'è il tuo libro?
  where...from? di dove...?
while mentre
whiskers i baffi
white bianco
who? chi?
why? perchè?
wimp
  what a wimp! che fifone!
to **win** vincere
wind il vento
windsurfing
  to go windsurfing fare windsurf
winter l'inverno
with con

to **withdraw** ritirare
without senza
witty spiritoso
wolf il lupo
woman la donna
work il lavoro
  enjoy your work! buon lavoro!
  to work lavorare
world il mondo
wrong
  what's wrong? che c'è?

Y

year l'anno
  about Year 7/8 la seconda media
  I'm twelve (**years old**) ho dodici anni
to **yell** gridare
yellow giallo
yes sì
your (*sing.*) (il) tuo, (la) tua;
  (*pl*) (il) vostro, (la) vostra
  your friends (*male*) i vostri amici
yuk! puah!

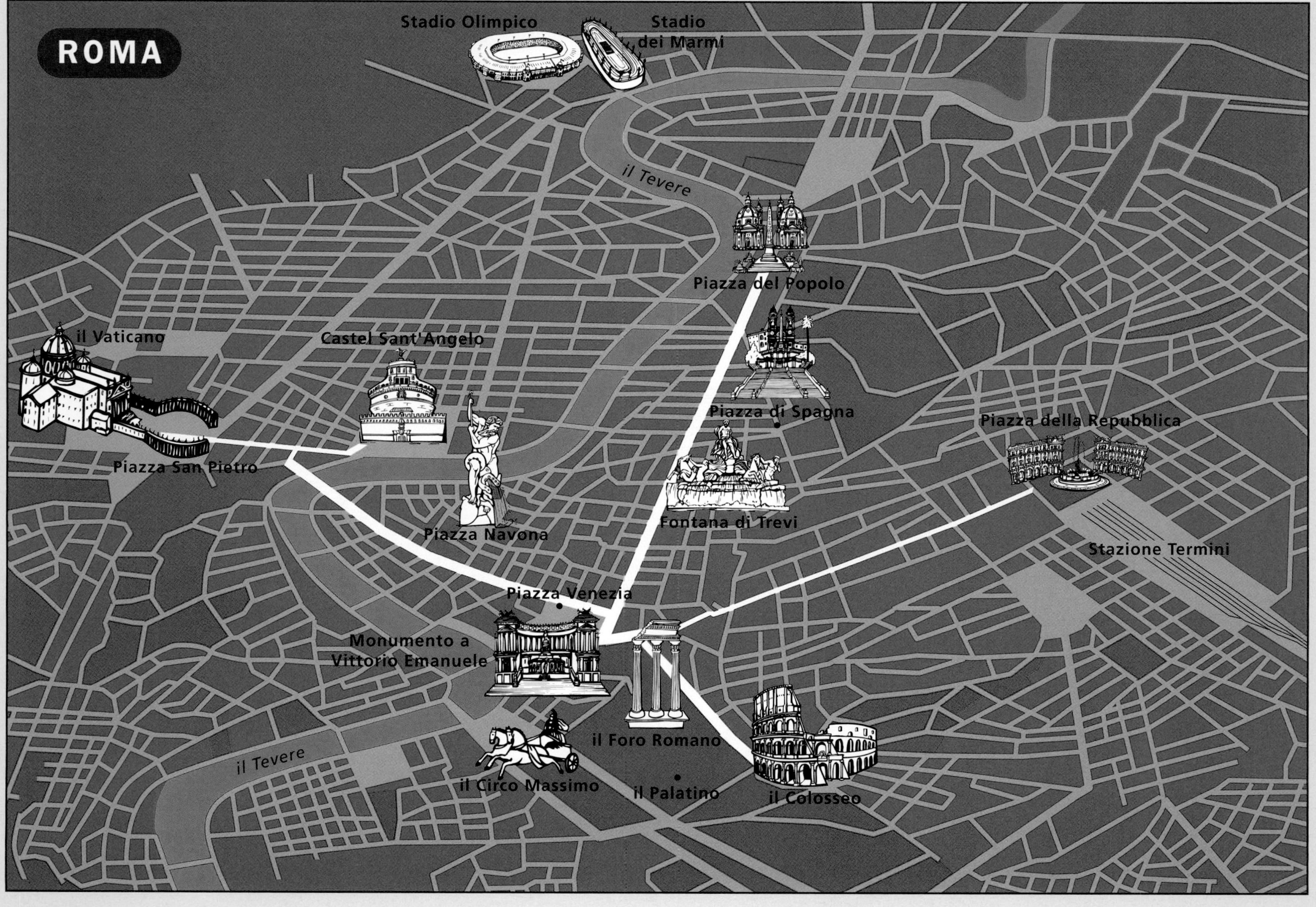

Pianta di Roma

ITALIA

AUSTRIA
UNGHERIA
SLOVENIA
CROAZIA
BOSNIA
ERZEGOVINA
Milano
Venezia
Torino
Cremona
Po
Parma
Genova
TOSCANA
Firenze
Arezzo
Siena
Chieti
CORSICA
LAZIO
Roma
Napoli
Sorrento
SARDEGNA
Cagliari
Palermo
SICILIA
TUNISIA